SHERLOCK
O ÚLTIMO ADEUS DE SHERLOCK HOLMES

SIR ARTHUR CONAN DOYLE

Tradução: Michele de Aguiar Vartuli

Copyright © 2013, Introdução, Steven Moffat
Copyright © 2016, Companhia Editora Nacional

1ª edição - São Paulo
Todos os direitos reservados

Diretor superintendente: Jorge Yunes
Diretora editorial adjunta: Soraia Reis
Editora: Anita Deak
Assistência editorial: Audrya de Oliveira
Tradução: Michele de Aguiar Vartuli
Preparação de texto: Vivian Matsushita
Revisão: Lilian Aquino
Coordenação de arte: Márcia Matos

Publicado em 2013 pela BBC Books, um selo da Ebury Publishing, empresa do grupo Random House.

Este livro foi publicado como acompanhamento da série de televisão *Sherlock*, transmitida pela BBC 1 em 2010. *Sherlock* é uma produção da Hartswood Films para a BBC Wales, em coprodução com a MASTERPIECE.
Produtores executivos: Beryl Vertue, Mark Gatiss e Steven Moffat
Produtora executiva da BBC: Bethan Jones
Produtora executiva da MASTERPIECE: Rebecca Eaton
Produtora da série: Sue Vertue
Fotos de capa: Colin Hutton © Hartswood Films Ltd
Design da capa original: Two Associates

CIP-BRASIL. CATALOGAÇÃO NA PUBLICAÇÃO
SINDICATO NACIONAL DOS EDITORES DE LIVROS, RJ

D784u
Doyle, Arthur Conan, Sir, 1859-1930
O último adeus de Sherlock Holmes / Arthur Conan Doyle; tradução Michele de Aguiar Vartuli. - 1. ed. - São Paulo : Companhia Editora Nacional, 2016.
296 p. ; 21 cm. (Sherlock)

Tradução de: His last bow
ISBN 978-85-04-01995-7

1. História de suspense. 2. Ficção inglesa. I. Vartuli, Michele de Aguiar. II. Título. III. Série.
16-31245
CDD: 823
CDU: 821.111-3

16/03/2016 16/03/2016

Rua Funchal, 263 - bloco 2 – Vila Olímpia
São Paulo – SP – 04551-060 – Brasil – Tel.: (11) 2799-7799
www.editoranacional.com.br – comercial@ibep-nacional.com.br

Sumário

Introdução de Steven Moffat 5
Prefácio 9

1. A aventura de Wisteria Lodge 11
2. A aventura da caixa de papelão 59
3. A aventura do círculo vermelho 93
4. A aventura dos planos do Bruce-Partington 125
5. A aventura do detetive moribundo 173
6. O desaparecimento de Lady Frances Carfax 199
7. A aventura do pé do diabo 231
8. O último adeus de Sherlock Holmes 271

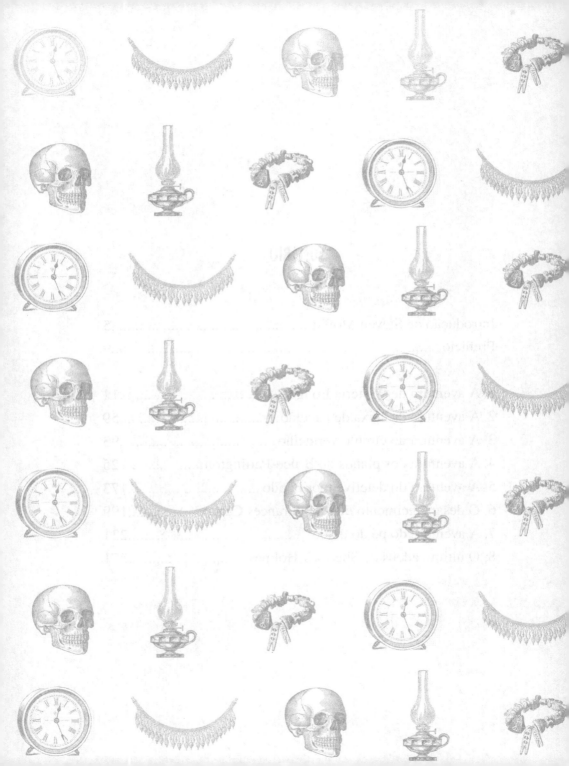

INTRODUÇÃO

Ora, coragem. Tenha calma. Controle seus lábios trêmulos e sorria em meio às lágrimas. O sol está se pondo, o vento do oriente está soprando, e é hora de dizer adeus para sempre a Sherlock Holmes e ao Dr. Watson. Uma última rodada de homicídios e mistérios, um vislumbre tocante de sua última aventura juntos. O fim chegou, finalmente.

Mas se você está lendo as histórias em sequência, já deve estar acostumado com a proximidade do fim a essa altura. É uma das coisas de que mais gosto no trabalho de Doyle: de todos os volumes de contos, somente o primeiro — *As Aventuras de Sherlock Holmes* — não pretendia também ser o último.

Como você vai lembrar, em *As Memórias de Sherlock Holmes*, nosso herói encontra sua morte nas Cataratas de Reichenbach.

Bem, morrer é meio que definitivo. Não dá pra sair dessa tão facilmente. Sem dúvida, foi o fim do poderoso Sherlock Holmes!

Ou melhor, não foi, como você descobriu no volume seguinte, *A Volta de Sherlock Holmes*. Eba! Mas você não comemorou por muito tempo, certo? Porque nem bem ele estava de volta e já se foi de novo. Na última história do livro, o Dr. Watson anuncia que Sherlock Holmes se aposentou do trabalho de detetive e está criando abelhas nas planícies de Sussex.

Criando abelhas? Com 12 anos de idade, eu larguei o livro no chão, se bem me lembro. Sherlock Holmes, depois de tantos anos reclamando que os criminosos de Londres eram fáceis demais de capturar, agora se contentava em prender *abelhas*? Acho que minhas palavras exatas foram: "Mas o que...?"

Por mais louco que aquilo parecesse, porém, era a triste realidade. O grande detetive, agora, não só estava morto no fundo de uma cachoeira com um mestre do crime, mas também aposentado em Sussex com suas abelhas. Uma condenação dupla, por qualquer ângulo que se examinasse. *Dessa vez*, sem dúvida, era o fim para o gênio da Baker Street.

No contexto de todos esses "últimos" momentos, o título do volume seguinte, *O Último Adeus de Sherlock Holmes*, deveria ser acompanhado pela palavra *sério* entre colchetes. A despedida de Doyle de sua maior criação era, ao que parecia, um evento angustiado — comparável não tanto a uma porta batida, mas sim a um jovem casal tentando encerrar um telefonema ("Desliga você." "Não, desliga *você*!").

INTRODUÇÃO

O que me traz à minha confissão. Eu adoro Sir Arthur Conan Doyle, admiro o homem, idolatro sua obra. Mas quando o assunto é seu enfado com as histórias de Sherlock Holmes, tão frequentemente manifestado, sinto muito, mas acho que ele é um mentiroso da pior espécie. Se estava tão saturado com histórias de detetive, e já mais rico e bem-sucedido do que qualquer outro escritor, por que, então, continuava a escrevê-las?

Sinto que você está franzindo o cenho em desaprovação, e entendo o porquê. Não tenho o direito de duvidar da palavra de alguém melhor do que eu. Mas, em minha defesa, dê uma olhada nestas aventuras: "O Detetive Moribundo", por exemplo, ou "O Pé do Diabo", ou "Os Planos do Bruce-Partington". Nenhuma delas é obra de um autor entediado — são tão exuberantes e criativas quanto qualquer outra do cânone. E é preciso dizer que, na terceira e última tentativa, ele consegue exatamente o final certo para Holmes e seu Watson. Na história que encerra a coletânea, Holmes volta da aposentadoria, com seu melhor amigo novamente ao seu lado, para desmascarar um espião alemão. É *assim* que se faz. Pro inferno com as abelhas e os professores de matemática assassinos.

Um aviso, porém: seus olhos podem ficar úmidos quando você chegar ao final e nossos heróis tiverem sua última conversa tranquila. Holmes nunca foi mais poético do que nesse momento, no ocaso de sua carreira.

Mas nada de choramingar. Controle-se ao enveredar pelas últimas aventuras de Sherlock Holmes. Eu apresento *O Último Adeus de Sherlock Holmes*. A emocionante sequência a "Aquele em que Ele Morre de Verdade" e "Aquele em que Ele se Aposenta de Verdade". Naturalmente, se você gostar destas últimas histórias, há mais doze no volume seguinte a este "último": *Os Casos de Sherlock Holmes*.

Sabe, qualquer dia desses acho que Sir Arthur vai me mandar uma mensagem de texto, pedindo para escrever um episódio...

Steven Moffat

PREFÁCIO

Os amigos do Sr. Sherlock Holmes ficarão felizes em saber que ele continua vivo e bem, embora algo entrevado por ocasionais ataques de reumatismo. Há muitos anos reside numa pequena fazenda nas planícies, a oito quilômetros de Eastbourne, onde divide seu tempo entre a filosofia e a agricultura. Durante esse período de descanso, recusou as ofertas mais principescas para investigar vários casos, tendo determinado que sua aposentadoria seria permanente. A aproximação da guerra alemã o fez, todavia, deixar sua notável combinação de atividades intelectuais e práticas à disposição do governo, com resultados históricos, narrados em *O Último Adeus de Sherlock Holmes*. Várias experiências anteriores, que havia muito tempo jaziam em meu portfólio, foram acrescentadas a *O Último Adeus de Sherlock Holmes* para completar este volume.

DR. JOHN H. WATSON

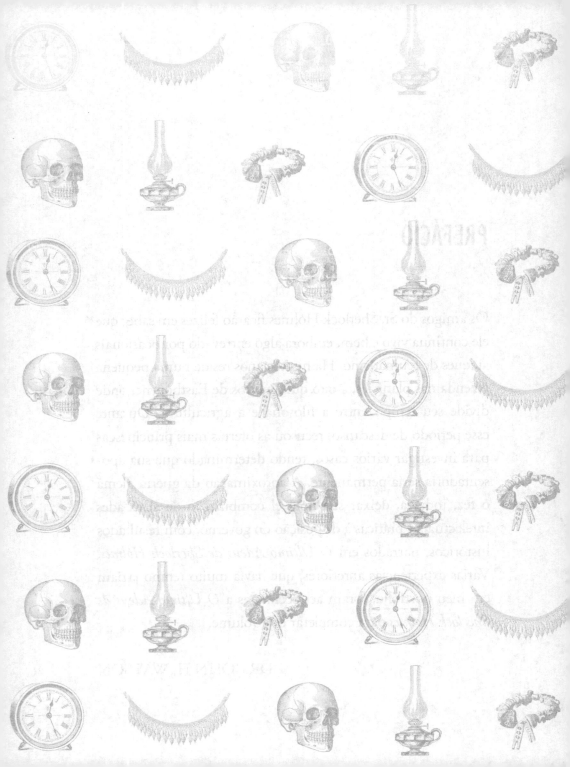

PREFÁCIO

Os amigos de Sherlock Holmes ficarão felizes em saber que ele continua vivo, embora algo a perder ao por um mau hábito de injetar cocaína. Há muitos anos tenho tentado convencê-lo a abandonar essa prática, que se tornasse de Jekyll e Hyde. Finalmente, ele decidiu se entregar à filosofia e a agricultura. Durante esse período de reclusão recusou as ofertas mais polpudas para investigar vários casos, tendo determinado que sua aposentadoria seria permanente. A proximidade da guerra, no entanto, o fez, todavia, dexar a vida de recolhimento, colocando suas maravilhosas faculdades à disposição do governo, com resultados históricos narrados em "O Último Adeus de Sherlock Holmes". Várias aventuras anteriores, que havia muito tempo jaziam em meu caderno de anotações, acham-se aqui, Caro Leitor, à sua disposição, para comporem o volume.

JOHN H. WATSON

um

A AVENTURA DE WISTERIA LODGE

I – A Singular Experiência do Sr. John Scott Eccles

Está registrado no meu caderno que era um dia nublado e ventoso do final de março do ano de 1892. Holmes recebera um telegrama enquanto almoçávamos, e rabiscara uma resposta. Não fizera nenhum comentário, mas o assunto permanecera em seus pensamentos, pois ele se quedara diante da lareira em seguida, com ar pensativo, fumando seu cachimbo e lançando olhadas ocasionais para a mensagem. De repente, ele se virou para mim com um brilho maroto no olhar.

— Suponho, Watson, que podemos considerá-lo um homem letrado — ele disse. — Como definiria a palavra "grotesco"?

— Estranho, notável — sugeri.

Ele balançou a cabeça para a minha definição.

— Certamente há algo mais do que isso — ele disse —; alguma sugestão subjacente do trágico e do terrível. Se você pensar em algumas daquelas suas narrativas, com as quais afligiu um público há tanto tempo sofredor, reconhecerá quão amiúde o grotesco degenerou para o criminoso. Pense naquele probleminha dos ruivos. Era bastante grotesco no início, no entanto, culminou numa tentativa desesperada de roubo. Ou então, aquele caso tão grotesco das cinco sementes de laranja, que levou diretamente a uma conspiração assassina. Essa palavra me deixa em alerta.

— Está com ela aí? — perguntei.

Ele leu o telegrama em voz alta.

— "Acabo de ter mui incrível e grotesca experiência. Posso consultá-lo? — Scott Eccles, Agência Postal de Charing Cross."

— Homem ou mulher? — perguntei.

— Oh, um homem, com certeza. Mulher alguma jamais mandaria um telegrama com resposta paga. Ela teria vindo pessoalmente.

— Você vai recebê-lo?

— Meu caro Watson, você sabe quanto tenho estado entediado desde que prendemos o coronel Carruthers. Minha mente é como um motor acelerado, que se despedaça se não estiver conectado ao trabalho para o qual foi construído. A vida é banal, os jornais são estéreis; a audácia e o romance parecem ter desaparecido para sempre do mundo do crime. Precisa me perguntar, então, se estou disposto a examinar qualquer novo problema, por mais trivial que demonstre ser? Mas, a menos que eu me engane, aí está nosso cliente.

Passos compassados foram ouvidos na escada, e um momento depois, uma pessoa solenemente respeitável, robusta, alta, de bigode grisalho, entrou na sala. A história de sua vida estava escrita em seus traços carregados e ar pomposo. Das polainas aos óculos com aro de ouro, era um conservador, um devoto, um bom cidadão, ortodoxo e convencional ao último grau. Mas alguma experiência intrigante perturbara sua compostura nativa e deixara marcas no cabelo arrepiado, nas bochechas rubras e raivosas e em seus modos bruscos e agitados. Ele foi instantaneamente ao assunto.

— Tive uma experiência deveras singular e desagradável, Sr. Holmes — ele disse. — Nunca em minha vida me vi em tal situação. É totalmente injustificada, totalmente ultrajante. Devo insistir numa explicação. — Ele inchava e bufava de raiva.

— Por favor, sente-se, Sr. Scott Eccles — pediu Holmes, em tom apaziguador. — Posso perguntar, em primeiro lugar, por que me procurou?

— Bem, senhor, não parecia ser um caso que dissesse respeito à polícia, no entanto, quando tiver ouvido os fatos, o senhor há de concordar que eu não poderia ter deixado as coisas como estavam. Detetives particulares são uma classe pela qual não tenho simpatia alguma, entretanto, por ter ouvido seu nome...

— Muito bem. Mas, em segundo lugar, por que não me procurou imediatamente?

— Como assim?

Holmes olhou para o seu relógio.

— São 14h15 — ele disse. — Seu telegrama foi despachado por volta das 13h00. Mas ninguém, observando sua toalete e seus indumentos, poderá deixar de perceber que seu incômodo data da hora em que o senhor acordou.

Nosso cliente alisou o cabelo despenteado e apalpou o queixo barbado.

— Tem razão, Sr. Holmes. Nem consegui pensar em minha toalete. Já fiquei muito feliz em poder sair daquela casa. Mas andei investigando por aí antes de procurar o senhor. Fui até a imobiliária, sabe, e eles disseram que o aluguel do Sr. Garcia fora pago perfeitamente e que estava tudo certo com Wisteria Lodge.

— Ora, ora, senhor — disse Holmes rindo. — Parece o meu amigo, o Dr. Watson, que tem o mau hábito de contar suas histórias começando pelo lado errado. Por favor, organize suas ideias e me informe, na sequência correta, exatamente que eventos foram esses que o fizeram sair despenteado e em desalinho, de botas caseiras e colete mal abotoado, à procura de conselhos e assistência.

Nosso cliente baixou o olhar constrangido para sua aparência tão fora do convencional.

— Estou certo de que deve parecer muito grave, Sr. Holmes, e nunca em minha vida eu soube de algo assim ter acontecido. Mas vou contar-lhe todo este negócio esquisito, e quando eu terminar, o senhor admitirá, tenho certeza, que ele é suficiente para me justificar.

Mas sua narrativa morreu no nascedouro. Ouviu-se uma confusão lá fora, e a Sra. Hudson abriu a porta para dois indivíduos robustos e de aspecto oficial, um dos quais era-nos bem conhecido como o inspetor Gregson, da Scotland Yard, um policial enérgico, galante e, dentro de suas limitações, competente. Ele apertou a mão de Holmes e apresentou seu colega como o inspetor Baynes, da polícia de Surrey.

— Estamos juntos na caçada, Sr. Holmes, e os rastros nos trouxeram nesta direção. — Ele dirigiu seu olhar de buldogue para o nosso visitante. — É o Sr. John Scott Eccles, de Popham House, Lee?

— Sou.

— Seguimos o senhor a manhã inteira.

— Localizaram-no mediante o telegrama, sem dúvida — disse Holmes.

— Exatamente, Sr. Holmes. Descobrimos o rastro na Agência Postal de Charing Cross e viemos para cá.

— Mas por que me seguem? O que querem?

— Queremos um depoimento, Sr. Scott Eccles, sobre os acontecimentos que levaram à morte, ontem à noite, do Sr. Aloysius Garcia, de Wisteria Lodge, perto de Esher.

Nosso cliente havia erguido o tronco, com os olhos arregalados e sem um pingo de cor em seu rosto assombrado.

— Morto? Disse que ele está morto?

— Sim, senhor, está morto.

— Mas como? Algum acidente?

— Nunca houve um caso mais claro de homicídio.

— Bom Deus! Isso é horrível! Não vão me dizer... não vão me dizer que suspeitam de mim?

— Uma carta sua foi encontrada no bolso do morto, e por ela sabemos que o senhor pretendia passar a noite de ontem na casa dele.

— E passei.

— Ah, passou, é?

O caderno oficial foi sacado do bolso.

— Um momento, Gregson — interrompeu Sherlock Holmes. — Tudo o que deseja é um depoimento normal, certo?

— E é meu dever avisar ao Sr. Scott Eccles de que poderá ser usado contra ele.

— O Sr. Eccles ia nos contar tudo quando vocês entraram. Acho, Watson, que um *brandy* com soda não lhe faria mal. Agora, senhor, sugiro que ignore os recém-chegados à sua plateia e prossiga com sua narrativa, exatamente como teria feito se não tivesse sido interrompido.

Nosso visitante havia engolido o *brandy*, e a cor já voltara ao seu rosto. Com um olhar titubeante para o caderno do inspetor, logo começou seu extraordinário depoimento.

— Sou solteiro — ele disse —, e por ser muito sociável, cultivo um grande número de amizades. Entre elas está a família de um cervejeiro aposentado chamado Melville, que mora na Mansão Albemarle, em Kensington. Foi à sua mesa que conheci, algumas semanas atrás, um jovem chamado Garcia. Ele era, pelo que eu soube, de ascendência espanhola, e de alguma forma ligado à embaixada. Falava um inglês perfeito, seus modos eram agradáveis e era o homem mais belo que eu já vira em minha vida.

"Por algum motivo, logo ficamos muito amigos, esse jovem e eu. Ele pareceu gostar de mim desde o início, e dois dias depois de nos conhecermos, veio me visitar em Lee. Uma coisa levou à outra, e ele acabou por me convidar a passar alguns dias em sua casa, Wisteria Lodge, entre Esher e Oxshott. Ontem à noite, fui a Esher para cumprir esse compromisso.

"Ele me descrevera sua casa antes que eu fosse. Morava com um criado fiel, seu conterrâneo, que atendia a todas as suas necessidades. O sujeito sabia falar inglês e cuidava da casa. Também havia um cozinheiro maravilhoso, ele disse, um mestiço que ele recolhera em suas viagens, que preparava jantares excelentes. Lembro que ele comentara como era estranho encontrar pessoas assim habitando uma casa no coração de Surrey, e que eu concordara com ele, mas eles provaram ser bem mais estranhos do que eu imaginava.

"Fui de carroça até o lugar — uns três quilômetros ao sul de Esher. A casa era de bom tamanho, afastada da estrada, com um caminho curvo ladeado por altos arbustos sempre--verdes. Era uma construção velha, decrépita, precisando desesperadamente de reparos. Quando a carroça parou no caminho cheio de mato, diante da porta suja e manchada pelas intempéries, tive dúvidas quanto à sensatez de visitar um homem que eu conhecia tão pouco. Ele mesmo abriu a porta e me recebeu com grande cordialidade. Fui confiado ao criado, um sujeito melancólico, de tez escura, que me levou, carregando minha mala, até meu quarto. O lugar todo era deprimente. Nosso jantar foi *tête-à-tête*, e embora meu anfitrião fizesse o melhor que podia para me entreter, seus pensamentos pareciam vagar continuamente, e ele falava de forma tão incerta e tresloucada que eu mal conseguia entendê-lo. Tamborilava os dedos na mesa sem parar, roía as unhas e dava outros sinais de impaciência nervosa. O jantar em si não foi bem servido ou bem cozido, e a presença sorumbática do taciturno criado não ajudava a nos animar. Posso assegurar que muitas vezes, durante o serão, desejei poder inventar alguma desculpa que me permitisse voltar para Lee.

"Uma coisa me retorna à memória que pode ter importância para o caso que os senhores estão investigando. Na hora não me pareceu relevante. Perto do fim do jantar, um bilhete foi entregue pelo criado. Notei que, depois de lê-lo, meu anfitrião parecia ainda mais perturbado e estranho do que antes. Desistiu de qualquer pretensão de conversar e ficou sentado, fumando incontáveis cigarros, perdido em pensamentos, mas não fez qualquer comentário referente ao conteúdo da mensagem. Por volta das 23h00, fiquei feliz em poder ir me deitar. Algum tempo depois,

Garcia apareceu na porta do meu quarto — que estava às escuras naquele momento — e perguntou se eu havia tocado a sineta. Eu disse que não. Ele pediu desculpas por ter me incomodado tão tarde, dizendo que era quase uma da manhã. Peguei no sono depois disso e dormi profundamente a noite toda.

"E agora, chego à parte intrigante do meu relato. Quando acordei, foi em plena luz do dia. Consultei o meu relógio e vi que eram quase 9h00. Eu pedira especificamente para ser chamado às 8h00, portanto estava deveras assombrado com tal negligência. Saltei da cama e toquei a sineta, chamando o criado. Não houve resposta. Toquei mais e mais vezes, com o mesmo resultado. Então cheguei à conclusão de que a sineta estava com defeito. Vesti-me às pressas e desci a escada num péssimo humor, para pedir um pouco de água quente. Podem imaginar minha surpresa ao descobrir que não havia ninguém ali. Gritei no corredor. Não houve resposta. Então corri de cômodo em cômodo. Todos estavam desertos. Meu anfitrião me mostrara qual era o seu quarto de dormir na noite anterior, por isso bati na porta. Nenhuma resposta. Girei a maçaneta e entrei. O quarto estava deserto, e a cama, intacta. Ele se fora com os outros. O anfitrião estrangeiro, o criado estrangeiro, o cozinheiro estrangeiro, todos desapareceram durante a noite! Esse foi o fim de minha visita a Wisteria Lodge."

Sherlock Holmes estava esfregando as mãos e dando risadinhas, ao acrescentar esse bizarro incidente à sua coleção de estranhos episódios.

— Sua experiência é, até onde sei, perfeitamente única — ele disse. — Posso perguntar, senhor, o que fez a seguir?

— Eu estava furioso. Minha ideia inicial foi que eu havia sido vítima de alguma brincadeira absurda. Recolhi meus pertences, bati a porta ao sair e segui para Esher, com a mala na mão. Visitei a Allan Brothers, a principal imobiliária da aldeia, e descobri que foram eles a locar a mansão. Ocorreu-me ser pouco provável que o processo todo tivesse o propósito de me fazer de tolo, e que o objetivo principal devia ser não pagar o aluguel. Estamos no final de março, portanto o trimestre está acabando. Mas essa teoria não funcionou. O corretor agradeceu meu alerta, mas me disse que o aluguel havia sido pago adiantado. Então voltei para a cidade e visitei a embaixada espanhola. O homem era desconhecido ali. Depois disso, fui ver Melville, em cuja casa eu conhecera Garcia, mas descobri que o primeiro sabia sobre este menos ainda do que eu. Finalmente, quando recebi sua resposta ao telegrama que lhe enviei, vim procurar o senhor, pois, pelo que sei, é uma pessoa que dá conselhos em casos difíceis. Mas agora, senhor inspetor, presumo, pelo que falou ao entrar, que o senhor pode continuar o relato, e que alguma tragédia aconteceu. Garanto que cada palavra do que eu disse é a verdade, e que além do que contei, não sei absolutamente nada sobre o destino desse homem. Meu único desejo é ajudar a lei de todas as formas possíveis.

— Tenho certeza disso, Sr. Scott Eccles, tenho certeza disso — declarou o inspetor Gregson, num tom muito amigável.

— Devo dizer que tudo que o senhor relatou confirma à perfeição aos fatos a que tivemos acesso. Por exemplo, o bilhete que chegou durante o jantar. Acaso observou o que foi feito dele?

— Sim. Garcia o amassou e o jogou no fogo.

— O que diz disso, Sr. Baynes?

O detetive local era um homem robusto, rechonchudo, rubro, cujo rosto só era resgatado da repelência por um par de olhos extraordinariamente brilhantes, quase escondidos por trás das grossas dobras das bochechas e da testa. Com um sorriso discreto, ele puxou do bolso um pedaço de papel dobrado e desbotado.

— A lenha ardia numa trempe, Sr. Holmes, e ele errou o alvo. Encontrei isto intacto no fundo da lareira.

Holmes sorriu em apreciação.

— Deve ter examinado a casa com muito cuidado, para encontrar uma bolinha de papel.

— Fiz isso, Sr. Holmes. É o meu costume. Devo lê-lo, Sr. Gregson?

O detetive londrino balançou a cabeça.

— O bilhete foi escrito em papel comum, cor creme, sem marca-d'água. É um quarto de folha. O papel foi cortado com dois golpes de uma tesoura de lâmina curta. Foi dobrado três vezes e selado com cera púrpura, pingada apressadamente e prensada com algum objeto plano e oval. Está endereçado ao Sr. Garcia, Wisteria Lodge. Ele diz: "Nossas cores, verde e branca. Verde aberta, branca fechada. Escada principal, primeiro corredor, sétima à direita, baeta verde. Que Deus o acompanhe. D." A letra é de mulher, escrita com uma pena afiada, mas o endereço foi escrito com outra pena, ou então por outra pessoa. A caligrafia é mais grossa e escura, como podem ver.

— Um bilhete mui notável — disse Holmes, correndo os olhos sobre ele. — Devo cumprimentá-lo, Sr. Baynes, por sua atenção aos detalhes no exame que fez. Alguns comentários triviais talvez pudessem ser acrescentados. O selo oval sem dúvida é a marca de uma abotoadura comum; o que mais tem esse formato? A tesoura era curva, para cortar unhas. Embora os dois cortes sejam curtos, pode-se notar distintamente a mesma curvatura suave em ambos.

O detetive local deu uma risadinha.

— Pensei ter espremido todo o suco desse bilhete, mas vejo que ainda restava um pouco — ele disse. — Devo confessar que não entendi nada no bilhete, a não ser que algo estava para acontecer, e que uma mulher, como de costume, estava por trás de tudo.

O Sr. Scott Eccles se agitara em sua poltrona durante essa conversa.

— Fico feliz que tenha encontrado o bilhete, pois corrobora a minha história — ele disse. — Mas preciso lembrar que ainda não ouvi o que aconteceu com o Sr. Garcia ou com os outros ocupantes de sua casa.

— Quanto a Garcia — disse Gregson —, é fácil responder. Ele foi encontrado morto hoje de manhã no Parque de

Oxshott, a um quilômetro e meio de sua casa. Sua cabeça foi esmagada por golpes pesados de porrete de areia ou outro instrumento similar, mais contundente que cortante. O lugar é deserto, e não há outra casa a menos de quatrocentos metros do local. Aparentemente, ele foi golpeado primeiro por trás, mas seu agressor continuou batendo nele por muito tempo depois de morto. Foi um ataque extremamente furioso. Não há pegadas, nem qualquer pista dos criminosos.

— Latrocínio?

— Não, não tentaram roubar nada.

— Isso é muito doloroso, muito doloroso e terrível — disse o Sr. Scott Eccles, com voz lamuriosa —; mas é inusitadamente duro para mim. Nada tive a ver com o fato do meu anfitrião sair para essa excursão noturna e encontrar tão triste fim. Como acabei envolvido nesse caso?

— Muito simples, senhor — respondeu o inspetor Baynes. — O único documento encontrado no bolso do falecido foi uma carta do senhor, dizendo que o veria na noite em que ele morreu. Foi do envelope dessa carta que obtivemos o nome e o endereço do morto. Passava das 9h00 quando chegamos à casa dele, e não encontramos nem o senhor, nem mais ninguém ali. Telegrafei ao Sr. Gregson para que seguisse o senhor em Londres enquanto eu examinava Wisteria Lodge. Então vim para a cidade, encontrei o Sr. Gregson, e aqui estamos.

— Acho que agora — Gregson disse, levantando-se — é melhor dar a este assunto a forma oficial. Vai nos acompanhar até a chefatura, Sr. Scott Eccles, onde tomaremos seu depoimento por escrito.

— É claro, irei agora mesmo. Mas conto com seus serviços, Sr. Holmes. Não quero que poupe gastos e esforços para descobrir a verdade.

Meu amigo voltou-se para o inspetor local.

— Suponho que não tenha objeções à minha colaboração, Sr. Baynes?

— Certamente ela muito me honra, senhor.

— Parece ter sido muito atento e diligente em tudo o que fez. Tem alguma pista, se me permite perguntar, sobre a hora exata em que o homem foi morto?

— Ele estava lá desde uma da manhã. Estava chovendo naquele momento, e sua morte com certeza ocorreu antes da chuva.

— Mas isso é completamente impossível, Sr. Baynes — exclamou nosso cliente. — A voz dele é inconfundível. Posso jurar que foi ele quem falou comigo em meu quarto naquela mesma hora.

— Notável, mas de modo algum impossível — disse Holmes, sorrindo.

— O senhor tem uma pista? — perguntou Gregson.

— À primeira vista, o caso não é muito complexo, embora certamente apresente algumas características novas e interessantes. Um conhecimento ulterior dos fatos é necessário antes que eu me atreva a dar uma opinião final e definitiva. A propósito, Sr. Baynes, encontrou qualquer coisa digna de nota, além desse bilhete, ao examinar a casa?

O detetive olhou para o meu amigo de maneira singular.

— Havia — ele disse — uma ou duas coisas *muito* peculiares. Talvez, depois que eu terminar tudo na chefatura de polícia, o senhor queira vir comigo e me dar sua opinião sobre elas.

— Estou totalmente ao seu dispor — disse Sherlock Holmes, tocando a sineta. — Acompanhe estes cavalheiros até a porta, Sra. Hudson, e por gentileza, mande o garoto levar este telegrama. Ele deve acrescentar cinco xelins para pagar pela resposta.

Ficamos por algum tempo em silêncio depois que nossos visitantes se foram. Holmes fumava com sofreguidão, com o cenho franzido sobre os olhos argutos e a cabeça projetada para a frente, à sua característica maneira ansiosa.

— Bem, Watson — ele perguntou, virando-se repentinamente para mim —, o que acha do caso?

— Não consigo entender nada nesse mistério de Scott Eccles.

— Mas e o crime?

— Bem, considerando o desaparecimento da criadagem do homem, eu diria que eles estavam de alguma forma envolvidos no homicídio e fugiram da justiça.

— Esse é certamente um ponto de vista possível. De antemão você precisa admitir, todavia, que é muito estranho que esses dois criados estivessem conspirando contra o patrão e resolvessem atacá-lo justo na noite em que ele recebia uma visita. Ele ficava sozinho, à mercê dos dois, todas as outras noites da semana.

— Então por que fugiram?

— Exatamente. Por que fugiram? Esse é um fato importante. Outro fato importante é a notável experiência vivida pelo nosso cliente, Scott Eccles. Bem, meu caro Watson, está além dos limites da engenhosidade humana fornecer uma explicação que cubra ambos esses fatos importantes? Se ela também admitisse o misterioso bilhete, com sua curiosa fraseologia, ora, então valeria a pena aceitá-la como hipótese temporária. Se os novos fatos que chegarem ao nosso conhecimento se encaixarem todos no esquema, então nossa hipótese poderá gradualmente tornar-se uma solução.

— Mas qual é a nossa hipótese?

Holmes se recostou em sua poltrona com os olhos semicerrados.

— Você precisa admitir, meu caro Watson, que a ideia de uma brincadeira é impossível. Graves acontecimentos estavam em andamento, como os fatos seguintes mostraram, e atrair Scott Eccles para Wisteria Lodge tinha alguma ligação com eles.

— Mas que ligação poderia ter?

— Vamos examinar a cadeia elo por elo. Existe, à primeira vista, algo artificial nessa estranha e repentina amizade entre o jovem espanhol e Scott Eccles. Foi o primeiro quem forçou as circunstâncias. Ele foi visitar Eccles do outro lado de Londres já um dia depois de tê-lo conhecido, e continuou em contato próximo com ele até conseguir levá-lo para Esher. Bem, o que ele queria com Eccles? O que Eccles poderia lhe fornecer? Não vejo nenhum encanto nesse homem. Não é particularmente inteligente, não seria provável que um latino de raciocínio rápido simpatizasse com ele. Por que, então, foi escolhido, entre todas as outras pessoas que Garcia conheceu, como particularmente adequado ao seu objetivo? Tem alguma qualidade que o destaca? Eu digo que tem. Ele é a personificação da respeitabilidade britânica convencional, e o mais adequado a impressionar outros britânicos como testemunha. Você mesmo viu como nem os inspetores sonharam em questionar seu depoimento, por mais extraordinário que tenha sido.

— Mas sobre o que ele testemunharia?

— Nada, com o viés que as coisas tomaram, mas tudo, se elas tivessem seguido outro caminho. É assim que eu interpreto a questão.

— Entendo; ele poderia ter comprovado um álibi.

— Exatamente, meu caro Watson; ele poderia ter comprovado um álibi. Vamos supor, para fins de argumentação, que os ocupantes de Wisteria Lodge estivessem mancomunados em algum projeto. A tentativa, seja lá qual for, deveria acontecer, digamos, antes da uma da manhã. Mexendo nos relógios, é bem possível que eles tenham feito Scott Eccles deitar-se mais cedo do que este imaginava, mas em todo caso é provável que, quando Garcia se deu ao trabalho de lhe informar que era uma da manhã, na verdade não devesse ser mais tarde do que meia-noite. Se Garcia conseguisse fazer o que ia fazer e voltar na hora mencionada, evidentemente teria uma resposta poderosa a qualquer acusação. Lá estaria aquele inglês irrepreensível, pronto para jurar em qualquer tribunal que o acusado permanecera em sua casa o tempo todo. Ele era uma apólice de seguro para o caso de o pior acontecer.

— Sim, sim, entendo isso. Mas e o desaparecimento dos outros?

— Ainda não estou de posse de todos os fatos, mas não acho que existam dificuldades insuperáveis. No entanto, é um erro pôr a argumentação na frente dos dados. Você começa a deformá-los sem nenhum tato para que se encaixem em suas teorias.

— E o bilhete?

— O que ele dizia? "Nossas cores, verde e branca." Parece referir-se a uma corrida. "Verde aberta, branca fechada." Isso é claramente um sinal. "Escada principal, primeiro corredor, sétima à direita, baeta verde." Isso é uma localização. Talvez encontremos um marido ciumento por trás de tudo. Era claramente uma expedição perigosa. Ela não teria dito "Que Deus o acompanhe" se assim não fosse. "D", isso deve servir-nos de guia.

— O homem era espanhol. Sugiro que seja "D" de Dolores, um nome feminino comum na Espanha.

— Bom, Watson, muito bom; mas totalmente inadmissível. Uma espanhola escreveria a um espanhol em seu idioma. A autora do bilhete é certamente inglesa. Bem, só podemos encher nossas almas de paciência, até que esse excelente inspetor volte a nos procurar. Enquanto isso, podemos agradecer ao nosso venturoso destino, que nos resgatou por algumas breves horas da insuportável fadiga do ócio.

A resposta ao telegrama de Holmes chegou antes que nosso policial de Surrey retornasse. Holmes a leu, e estava para guardá-la em seu caderno quando vislumbrou minha expressão cheia de expectativa. Ele a jogou na minha direção, rindo.

— Estamos lidando com círculos elevados — ele disse.

O telegrama era uma lista de nomes e endereços: "Lorde Harringby, The Dingle; Sir George Folliott, Oxshott Towers; Sr. Hynes Hynes, J. P., Purdey Place; Sr. James Baker Williams, Forton Old Hall; Sr. Henderson, High Gable; Rev. Joshua Stone, Nether Walsling".

— É uma maneira bastante óbvia de limitar nosso campo de operações — disse Holmes. — Sem dúvida Baynes, com sua mente metódica, já adotou algum plano similar.

— Não entendi bem.

— Ora, meu caro amigo, já chegamos à conclusão de que o bilhete recebido por Garcia durante o jantar era para um encontro ou uma missão. Bem, se a interpretação óbvia da mensagem está correta, e para chegar ao encontro é preciso subir uma escada principal e procurar a sétima porta num corredor, fica perfeitamente claro que a casa é muito grande. Também é certo que essa casa não pode ficar a mais de dois ou três quilômetros de Oxshott, já que Garcia estava andando naquela direção e esperava, de acordo com minha interpretação dos fatos, estar de volta a Wisteria Lodge a tempo de valer-se de seu álibi, cuja validade expiraria à uma da manhã. Como o número de casas grandes perto de Oxshott devia ser limitado, adotei o método óbvio de consultar os corretores mencionados por Scott Eccles e obter uma lista de todas elas. Aqui estão neste telegrama, e a outra ponta de nosso emaranhado novelo deve estar entre elas.

Eram quase 18h00 quando nos vimos na bela aldeia de Esher, em Surrey, acompanhados pelo inspetor Baynes.

Holmes e eu nos preparamos para pernoitar, e encontramos acomodações confortáveis no Bull. Finalmente, saímos com o detetive para visitar Wisteria Lodge. Era uma noite fria e escura de março, com vento cortante e uma chuva fina fustigando nossos rostos, um ambiente adequado para a planície selvagem cortada pela nossa estrada e a trágica meta a que esta nos levava.

II – O Tigre de San Pedro

Uma caminhada fria e melancólica de uns três quilômetros nos levou até um alto portão de madeira, que se abria para uma soturna alameda de nogueiras. O caminho curvo e sombreado terminava numa casa baixa e escura como breu contra o céu cinzento. Da janela da fachada à esquerda da porta vinha o brilho de uma luz fraca.

— Um policial está de vigia — disse Baynes. — Vou bater na janela. — Ele cruzou o gramado e bateu com a mão na vidraça. Através do vidro embaçado, vi indistintamente um homem se levantar de uma poltrona ao lado da lareira e ouvi um grito agudo vir da sala. Um instante depois, um policial pálido e ofegante abriu a porta, com a vela balançando em sua mão trêmula.

— O que foi, Walters? — perguntou Baynes secamente.

O homem enxugou o suor da testa com um lenço e soltou um longo suspiro de alívio.

— Fico feliz que tenha vindo, senhor. A noite foi longa, e acho que meus nervos já não estão tão bons.

— Seus nervos, Walters? Pensei que você não tivesse um nervo no corpo.

— Bem, senhor, é esta casa vazia e silenciosa, e aquela coisa esquisita na cozinha. Então, quando o senhor bateu na janela, pensei que ele tivesse voltado.

— Quem tivesse voltado?

— O demônio, senhor, até onde sei. Estava na janela.

— O que estava na janela e quando?

— Foi há cerca de duas horas. Começava a anoitecer. Eu estava sentado na poltrona, lendo. Não sei o que me fez erguer os olhos, mas havia um rosto me observando pela vidraça de baixo. Meu Deus, senhor, que rosto era aquele! Vou sonhar com ele.

— Ora, ora, Walters! Isso não é jeito de um agente da polícia falar.

— Eu sei, senhor, eu sei; mas aquilo me abalou, senhor, e não adianta negar. Ele não era negro, senhor, tampouco branco, muito menos de qualquer cor que eu conheça, mas de um tom esquisito, como argila misturada com um pouco de leite. Também o tamanho do rosto, o dobro do seu, senhor. E sua aparência, os olhos esbugalhados me fitando e a fileira de dentes brancos, como os de uma fera faminta. Estou dizendo, senhor, não consegui mover um dedo nem respirar até que ele se foi. Corri para fora e pelos arbustos, mas graças a Deus não havia ninguém ali.

— Se eu não soubesse que você é um bom homem, Walters, marcaria você por isso. Mesmo se fosse o próprio demônio, um policial em serviço jamais deveria agradecer a Deus por não poder tê-lo capturado. Suponho que tudo isso não seja uma alucinação com um toque de colapso nervoso?

— Isso, pelo menos, é bem fácil de se determinar — disse Holmes, acendendo sua pequena lanterna de bolso. — Sim — ele relatou, após um breve exame do gramado —, um sapato número 45, eu diria. Se ele era todo proporcional ao pé, certamente devia ser um gigante.

— O que houve com ele?

— Parece ter atravessado os arbustos e fugido para a estrada.

— Bem — disse o inspetor, com um rosto grave e pensativo —, seja ele quem for, e o que pudesse querer, foi embora por enquanto, e temos coisas mais imediatas a cuidar. Agora, Sr. Holmes, se me permite, vou lhe mostrar toda a casa.

Os vários quartos e saletas não revelaram nada após uma busca cuidadosa. Aparentemente, os ocupantes trouxeram pouco ou nada com eles, e toda a mobília, até os mínimos detalhes, havia sido alugada junto com a casa. Muitos itens de vestuário com a marca de Marx and Co., High Holborn, haviam sido deixados para trás. Perguntas já haviam sido feitas por telégrafo que demonstravam que Marx nada sabia sobre seu cliente, a não ser que era bom pagador. Objetos esparsos, alguns cachimbos, uns poucos romances, dois deles em espanhol, um antiquado revólver de pederneira e um violão estavam entre os pertences pessoais.

— Nada em tudo isso — disse Baynes, marchando de quarto em quarto com uma vela na mão. — Mas agora, Sr. Holmes, chamo sua atenção para a cozinha.

Era um aposento sombrio e de pé-direito alto nos fundos da casa, com um catre de palha num canto, que aparentemente servia de cama para o cozinheiro. A mesa estava entulhada de pratos e bandejas sujos de comida, os restos do jantar da noite anterior.

— Veja isto — disse Baynes. — O que acha?

Ele ergueu a vela diante de um objeto extraordinário que estava sobre o balcão. Era tão enrugado, encolhido e encarquilhado que tornava-se difícil dizer o que poderia ter sido. Via-se apenas que era preto, com aparência de couro, e tinha alguma semelhança com uma figura humana em miniatura. De início, ao examiná-lo, pensei que fosse um bebê negro mumificado, e depois me pareceu um macaco muito velho e deformado. Finalmente, fiquei em dúvida quanto a ele ser animal ou humano. Uma guirlanda dupla de conchas brancas cingia-lhe o meio do corpo.

— Muito interessante, muito interessante mesmo! — exclamou Holmes, observando aquela relíquia sinistra. — Mais alguma coisa?

Em silêncio, Baynes nos conduziu até a pia e estendeu o braço que segurava a vela. Os membros e o corpo de algum grande pássaro branco, despedaçados selvagemente, ainda com as penas, estavam espalhados sobre ela. Holmes apontou para as barbelas da cabeça decepada.

— Um galo branco — ele disse —; muito interessante! É realmente um caso muito curioso.

Mas o Sr. Baynes reservara sua evidência mais sinistra para o final. De debaixo da pia ele puxou um balde de zinco que continha um pouco de sangue. Então, da mesa, pegou uma bandeja com pequenos pedaços de osso chamuscado.

— Algo foi morto e algo foi queimado. Recolhemos todos estes pedaços do fogo. Um médico veio hoje de manhã. Ele disse que não são humanos.

Holmes sorriu e esfregou as mãos.

— Devo parabenizá-lo, inspetor, por conduzir um caso tão distinto e instrutivo. Seus poderes, se me permite dizer sem ofensa, parecem superiores às suas oportunidades.

Os olhinhos do deleitado inspetor Baynes brilharam.

— Tem razão, Sr. Holmes. Nós estagnamos nas províncias. Um caso dessa espécie traz oportunidades, e espero aproveitá-las. O que acha desses ossos?

— De carneiro, eu diria, ou de cabrito.

— E o galo branco?

— Curioso, Sr. Baynes, muito curioso. Eu diria quase único.

— Sim, senhor, devia haver pessoas muito estranhas, com costumes bastante estranhos nesta casa. Uma delas está morta. Foram seus companheiros que o seguiram e o mataram? Se tivessem feito isso, seria fácil capturá-los, pois todos os portos estão sendo vigiados. Mas meu ponto de vista é diferente. Sim, senhor, meu ponto de vista é muito diferente.

— O senhor tem uma teoria, então?

— E eu mesmo vou desenvolvê-la, Sr. Holmes. Devo agir assim pelo meu crédito. O senhor já fez seu nome, mas eu ainda preciso fazer o meu. Ficarei feliz em poder dizer depois que resolvi o caso sem sua ajuda.

Holmes riu, bem-humorado.

— Pois bem, inspetor — ele disse. — Siga o seu caminho e eu seguirei o meu. Meus resultados estarão sempre ao seu dispor, caso queira pedi-los. Acho que já vi tudo o que eu queria nesta casa, e meu tempo será empregado de forma mais proveitosa em outro lugar. *Au revoir* e boa sorte!

Eu percebia, por numerosos sinais sutis, os quais ninguém além de mim poderia perceber, que Holmes tinha alguma boa pista. Impassível como sempre para o observador casual, havia, apesar disso, uma sofreguidão contida, e a sugestão de tensão em seus olhos mais brilhantes e gestos mais lépidos, que me sugeriam que a caçada já começara. Como era seu hábito, ele não disse nada, e como era o meu, não fiz pergunta alguma. Para mim bastava participar do jogo e prestar minha humilde ajuda à captura, sem distrair aquele cérebro tão ocupado com interrupções desnecessárias. Tudo voltaria a mim no momento certo.

Esperei, portanto — mas, para minha decepção cada vez mais profunda, esperei em vão. Dia após dia, meu amigo não dava nenhum passo à frente. Uma manhã ele passou na cidade e descobri, por uma menção casual, que ele visitara o Museu Britânico. À parte essa única excursão, ele passava os dias fazendo caminhadas longas e amiúde solitárias ou tagarelando com vários mexeriqueiros da aldeia, cuja amizade ele cultivara.

— Tenho certeza, Watson, de que uma semana no campo será inestimável para você — ele comentou. — É muito agradável ver os primeiros brotos verdes nas sebes e os amentos surgindo nas aveleiras de novo. Com uma pazinha, uma caixa de lata e um livro de botânica elementar, podem-se passar dias instrutivos. — Ele mesmo andava por aí com esse equipamento, mas a seleção de plantas que trazia à noite deixava a desejar.

Ocasionalmente, em nossas andanças, encontrávamos o inspetor Baynes. Seu rosto gordo e rubro abria-se em sorrisos, e seus olhinhos brilhavam quando cumprimentava o meu colega. Ele falava pouco do caso, mas desse pouco deduzia-se que ele também não estava insatisfeito com o rumo dos acontecimentos. Devo admitir, todavia, que fiquei um tanto surpreso quando, uns cinco dias após o crime, abri o jornal matutino e li em letras garrafais:

O MISTÉRIO DE OXSHOTT
UMA SOLUÇÃO
PRISÃO DE SUPOSTO ASSASSINO

Holmes saltou de sua poltrona como se tivesse sido picado quando li os títulos.

— Por Jove! — ele exclamou. — Não me diga que Baynes o pegou?

— É o que parece — eu disse, lendo o relato a seguir:

Houve grande alvoroço em Esher e no distrito vizinho quando se soube, durante a noite de ontem, que uma prisão havia sido efetuada em conexão com o homicídio de Oxshott. Como todos lembram, o Sr. Garcia, de Wisteria Lodge, foi encontrado morto no Parque de Oxshott, com marcas de extrema violência no corpo, e naquela mesma noite seu criado e seu cozinheiro fugiram, o que parecia indicar sua participação no crime. Sugeriu-se, mas jamais ficou provado, que o falecido poderia ter objetos de valor na casa, e que sua subtração teria sido o motivo do crime. Todos os esforços foram empreendidos pelo inspetor Baynes, que está investigando o caso, para determinar o esconderijo dos fugitivos, e ele tinha bons motivos para crer que os dois não iam longe, mas que estavam metidos em algum esconderijo preparado com antecedência. Estava claro desde o início, porém, que eles eventualmente seriam pegos, pois o cozinheiro, de acordo com o depoimento de um ou dois comerciantes que o viram de relance pela janela, era um homem de aparência assaz notável — por ser um enorme e horripilante mulato, de pele amarelada e traços pronunciadamente negroides. Esse homem chegou a ser visto depois do crime, pois foi descoberto e perseguido pelo policial Walters na mesma noite, quando teve a audácia de revisitar Wisteria Lodge. O inspetor Baynes, considerando que tal visita devesse ter algum objetivo, e portanto provavelmente repetir-se-ia, abandonou a casa, mas deixou uma emboscada entre os arbustos. O homem caiu na armadilha, e foi capturado ontem à noite, após uma luta na qual o policial Downing foi mordido ferozmente pelo selvagem. Ao que sabemos, quando o preso for trazido diante dos magistrados, a prorrogação de sua prisão será solicitada pela polícia, e esperam-se grandes desdobramentos de sua captura.

— Precisamos mesmo ver Baynes imediatamente — exclamou Holmes, pegando seu chapéu. — Vamos alcançá-lo antes que ele saia. — Corremos pela rua da aldeia e descobrimos, como esperávamos, que o inspetor estava para sair de seu alojamento.

— Viu o jornal, Sr. Holmes? — ele perguntou, mostrando-nos um exemplar.

— Sim, Baynes, vi. Por favor, não considere muita liberdade se lhe dou uma palavra amiga de alerta.

— De alerta, Sr. Holmes?

— Examinei o caso com algum cuidado, e não estou convicto de que você esteja no caminho certo. Não quero que vá longe demais, a menos que tenha certeza.

— É muito gentil, Sr. Holmes.

— Garanto que falo pelo seu bem.

Pareceu-me que algo como uma piscadela surgiu por um instante num dos olhinhos do Sr. Baynes.

— Concordamos em seguirmos cada um em seu caminho, Sr. Holmes. É o que estou fazendo.

— Oh, muito bem — disse Holmes. — Não me culpe.

— Não, senhor; acredito que deseje o meu bem. Mas todos temos nossos sistemas, Sr. Holmes. O senhor tem o seu, e talvez eu tenha o meu.

— Não vamos mais falar disso.

— Minhas notícias estão sempre à sua disposição. Esse sujeito é um selvagem completo, forte como um cavalo de fazenda e feroz como o demônio. Quase arrancou o polegar de Downing com os dentes antes que conseguissem dominá-lo. Quase não fala inglês, e nada conseguimos obter dele além de grunhidos.

— E o senhor acha que tem provas de que ele assassinou seu patrão?

— Eu não disse isso, Sr. Holmes; eu não disse isso. Todos temos nossos metodozinhos. Tente com o seu que eu tento com o meu. Esse é o acordo.

Holmes deu de ombros quando nos afastamos juntos.

— Não consigo entender esse homem. Ele parece a caminho de levar um tombo. Bem, como ele diz, devemos cada um experimentar o próprio método e ver no que dá. Mas há algo no inspetor Baynes que não entendo completamente.

— Sente-se naquela poltrona, Watson — disse Sherlock Holmes, depois que regressamos para nossos aposentos no Bull. — Quero pôr você a par da situação, pois posso precisar da sua ajuda esta noite. Deixe-me mostrar a evolução do caso, até onde consegui acompanhá-lo. Por mais simples que seja em suas características principais, apresenta dificuldades surpreendentes no tocante a efetuar uma prisão. Há lacunas nesse sentido que ainda precisamos preencher.

"Voltemos ao bilhete que foi entregue a Garcia na noite de sua morte. Podemos deixar de lado essa ideia de Baynes de que os criados de Garcia estavam envolvidos na questão. Prova disso é o fato de que foi *ele* quem providenciou a presença de Scott Eccles, que só pode ter sido para servir de álibi. Era Garcia, então, quem tinha um plano, e aparentemente um plano criminoso, a cumprir naquela noite, durante a qual encontrou a própria morte. Digo criminoso porque só um homem com uma empreitada criminosa em mente desejaria estabelecer um álibi. Quem, então, mais provavelmente ter-lhe-ia tirado a vida? Decerto a pessoa contra a qual a empreitada criminosa era dirigida. Até aí, parece-me que estamos supondo sobre bases seguras.

Agora podemos ver um motivo para o desaparecimento da criadagem de Garcia. *Todos* estavam mancomunados nesse mesmo crime desconhecido. Caso ele desse certo, Garcia voltaria, qualquer possível suspeita seria afastada pelo depoimento do inglês, e tudo acabaria bem. Mas a tentativa era perigosa, e caso Garcia *não* voltasse até uma certa hora, era provável que sua própria vida tivesse sido sacrificada. Ficou disposto, portanto, que nesse caso seus dois subordinados deveriam ir para algum lugar previamente combinado, onde poderiam escapar às investigações e estar em posição, em seguida, para uma nova tentativa. Isso explicaria totalmente os fatos, não?"

Todo aquele emaranhado incompreensível pareceu desembaraçar-se diante de mim. Eu me perguntei, como sempre, por que não achara tudo aquilo óbvio antes.

— Mas por que um criado voltaria?

— Podemos imaginar que, na confusão da fuga, algo precioso, algo de que ele não suportaria se separar, tenha sido esquecido. Isso explicaria sua persistência, não?

— Bem, qual o próximo passo?

— O próximo passo é o bilhete recebido por Garcia no jantar. Ele indica um comparsa na outra ponta. Bem, onde era a outra ponta? Já lhe mostrei que ela só poderia estar em alguma casa grande, e que o número de casas grandes é limitado. Meus primeiros dias nesta aldeia foram devotados a uma série de caminhadas, nas quais, durante os intervalos de minhas pesquisas botânicas, fiz um reconhecimento de todas as casas grandes e um exame do histórico familiar dos ocupantes. Uma casa, e somente uma, chamou minha atenção. É a famosa antiga granja jacobita de High Gable, um quilômetro e meio para lá de Oxshott e a menos de oitocentos metros do local da tragédia. As outras mansões pertencem a pessoas prosaicas e respeitáveis que vivem bem acima das paixões mundanas. Mas o Sr. Henderson, de High Gable, foi descrito por todos como um homem curioso, suscetível de viver aventuras curiosas. Concentrei minha atenção, portanto, nele e nos ocupantes de sua casa.

"Um conjunto singular de pessoas, Watson — o próprio é o mais singular entre elas. Consegui encontrar-me com ele com um pretexto plausível, mas pareci ler em seus olhos escuros, fundos e melancólicos que ele estava perfeitamente a par de minhas verdadeiras intenções. Ele tem 50 anos, é forte, ativo, tem cabelo grisalho escuro, sobrancelhas pretas espessas, o passo de um gamo e o ar de um imperador — um homem feroz e autoritário, com um espírito em brasa por trás do rosto enrugado. Ou é estrangeiro, ou viveu por muito tempo nos trópicos, pois sua tez é amarelada e sem viço, mas seu corpo é robusto como um chicote. Seu amigo e secretário, o Sr. Lucas, sem dúvida é estrangeiro, cor de chocolate, astuto, suave e felino, com uma delicadeza venenosa na fala. Veja bem, Watson, já encontramos dois grupos de estrangeiros — um em Wisteria Lodge e outro em High Gable —, portanto, nossas lacunas começam a se fechar.

Esses dois homens, amigos íntimos e confidentes, são o centro da casa; mas há outra pessoa que, para nosso fim imediato, pode ser ainda mais importante. Henderson tem duas filhas — meninas de 11 e 13 anos. A governanta delas é a Srta. Burnet, uma inglesa de seus 40 anos. Há também um criado de confiança. Esse pequeno grupo forma a verdadeira família, pois só viaja unido, e Henderson está sempre viajando, sempre em movimento. Há poucas semanas ele voltou, depois de um ano de ausência, para High Gable. Posso acrescentar que ele é enormemente rico, e sejam quais forem seus caprichos, pode facilmente satisfazê-los. Quanto ao resto, sua casa é cheia de mordomos, lacaios, criadas, a costumeira criadagem de uma grande casa de campo inglesa, que come demais e trabalha de menos.

Tudo isso eu descobri em parte pelos mexericos da aldeia e em parte por observação própria. Não existem instrumentos melhores do que criados demitidos rancorosos, e eu tive a sorte de encontrar um. Chamo isso de sorte, mas não o teria encontrado se não estivesse procurando por ele. Como Baynes comentou, todos temos nossos sistemas. Foi meu sistema que me permitiu encontrar John Warner, ex-jardineiro de High Gable, despedido num momento de fúria por seu imperioso empregador. Ele, por sua vez, tem amigos na criadagem atual, que se une no medo e na antipatia pelo patrão. Assim, eu tinha a chave para os segredos do estabelecimento.

Uma gente peculiar, Watson! Não tenho a pretensão de entender tudo ainda, mas é uma gente peculiar, de qualquer maneira. A casa tem duas alas, a criadagem ocupa um lado e a família, o outro. Não há outra ligação entre as duas a não ser o criado pessoal de Henderson, que serve as refeições da família. Tudo é levado até uma certa porta, que é a única conexão. A governanta e as crianças raramente saem, a não ser para o jardim. Henderson em hipótese alguma anda sozinho. Seu soturno secretário é como sua sombra. A criadagem diz à boca pequena que o patrão tem um medo terrível de alguma coisa. 'Vendeu a alma ao diabo em troca de dinheiro', diz Warner, 'e teme que o credor apareça e reclame o que lhe pertence.' De onde eles vieram, ou quem são, ninguém faz ideia. São muito violentos. Por duas vezes Henderson golpeou alguém com seu chicote, e somente seus bolsos fundos e uma pesada indenização o mantiveram longe dos tribunais.

Pois bem, Watson, vamos avaliar a situação à luz dessas novas informações. Podemos presumir que a carta partiu dessa estranha casa, e que era um convite para que Garcia tentasse algo que já havia sido planejado. Quem escreveu o bilhete? Alguém de dentro da fortaleza, e era uma mulher. Quem, então, senão a Srta. Burnet, a governanta? Todas as nossas considerações parecem apontar nessa direção. Podemos no mínimo tomar isso como hipótese e ver que consequências acarreta. Posso acrescentar que a idade e o caráter da Srta. Burnet me dão a certeza de que minha ideia inicial, de que poderia haver um interesse amoroso nessa história, está fora de questão.

Se ela escreveu o bilhete, é presumivelmente porque era amiga e cúmplice de Garcia. O que, então, seria de se esperar que ela fizesse, se soubesse da morte dele? Se ele tivesse morrido nalguma empreitada nefasta, ela poderia ficar em silêncio. Ainda assim, deve ter amargura e ódio no coração contra aqueles que o mataram, e presumivelmente ajudaria, na medida do possível, numa vingança contra eles. Poderíamos ir vê-la, então, e tentar usá-la? Essa era a minha ideia inicial. Mas agora chegamos a um fato sinistro. A Srta. Burnet não foi vista por ninguém desde a noite do assassinato. Desde aquela noite, desapareceu completamente. Estará viva? Terá talvez encontrado a morte na mesma noite em que morreu o amigo que ela convocara? Ou é apenas uma prisioneira? Aí está a questão que ainda precisamos esclarecer.

Você deve entender a dificuldade da situação, Watson. Não há nada que possamos usar para justificar um mandado de prisão. Todo o nosso esquema poderá parecer fantástico, caso o apresentemos a um magistrado. O desaparecimento da mulher nada significa, pois naquela casa extraordinária qualquer ocupante poderia ficar invisível por uma semana. No entanto, neste exato momento a vida dela talvez esteja em risco. Só o que posso fazer é vigiar a casa e deixar o meu agente, Warner, de guarda diante dos portões. Não podemos deixar que tal situação continue. Se a lei nada pode fazer, precisamos assumir o risco nós mesmos."

— O que você sugere?

— Eu sei qual é o quarto dela. É acessível pelo telhado de uma construção externa. Minha sugestão é nós dois irmos hoje à noite e ver se conseguimos chegar ao coração desse mistério.

Não era, devo confessar, uma perspectiva muito atraente. A velha casa, com sua atmosfera de homicídio, os singulares e formidáveis habitantes, os perigos desconhecidos da abordagem, e o fato de termos que nos colocar numa posição legalmente comprometedora, tudo se somava para atenuar o meu ardor. Mas havia algo no raciocínio gélido de Holmes que tornava impossível furtar-se a qualquer aventura que ele recomendasse. Sabíamos que assim, e somente assim, uma solução poderia ser encontrada. Apertei a mão dele em silêncio, e a sorte estava lançada.

Mas nossa investigação não estava destinada a ter um final tão aventuroso. Eram umas 17h00, e as sombras da noite de março começavam a cair, quando um aldeão exaltado entrou correndo no nosso quarto.

— Eles foram embora, Sr. Holmes. Foram embora no último trem. A madame conseguiu escapar, e estou com ela num táxi lá embaixo.

— Excelente, Warner! — exclamou Holmes, saltando de pé. — Watson, as lacunas estão se fechando rapidamente.

No táxi estava uma mulher quase desmaiada pela exaustão nervosa. Trazia em seu rosto aquilino e emaciado os sinais de alguma tragédia recente. Sua cabeça pendia inerte sobre o peito, mas quando ela a ergueu e voltou seus olhos baços para nós, vi que cada pupila sua era um ponto escuro em meio à dilatada íris cinza. Ela fora intoxicada com ópio.

— Vigiei o portão, como o senhor recomendou, Sr. Holmes — disse nosso emissário, o jardineiro demitido. — Quando a carruagem saiu, eu a segui até a estação. A mulher parecia uma sonâmbula; mas quando tentaram enfiá-la no trem, ela recobrou os sentidos e resistiu. Eles a empurraram para dentro do vagão. Ela lutou até sair de novo, eu fui defendê-la, coloquei-a num táxi, e aqui estamos. Não vou esquecer o rosto na janela da carruagem quando a levei embora. Minha vida seria curta, se dependesse dele; aquele diabo sisudo, de pele amarela e olhos negros.

Nós a levamos para o andar de cima, deitamo-la no sofá, e um par de xícaras de café bem forte logo livraram sua mente das névoas da droga. Baynes havia sido convocado por Holmes, e a situação lhe foi rapidamente explicada.

— Ora, o senhor me trouxe exatamente a prova que eu queria — disse o inspetor com entusiasmo, apertando a mão do meu amigo. — Eu estava seguindo a mesma pista que o senhor desde o início.

— O quê?! Estava atrás de Henderson?

— Ora, Sr. Holmes, enquanto o senhor rastejava entre os arbustos de High Gable, eu estava no alto de uma das árvores da plantação e vi o senhor lá embaixo. Era só uma questão de quem iria encontrar sua prova primeiro.

— Então por que prendeu o mulato?

Baynes deu uma risadinha.

— Eu tinha certeza de que Henderson, como ele diz se chamar, sentia que estava sob suspeita e que ficaria na moita e não faria nada enquanto achasse que corria perigo. Prendi o homem errado para fazê-lo crer que não estávamos de olho nele. Eu sabia que ele provavelmente apareceria, então, e nos daria uma oportunidade de resgatar a Srta. Burnet.

Holmes pôs a mão no ombro do inspetor.

— Você subirá muito na profissão. Tem instinto e intuição — ele disse.

Baynes ficou rubro de prazer.

— Pus um policial à paisana de vigia na estação a semana toda. Onde quer que o pessoal de High Gable vá, ele os manterá sob sua vista. Mas deve ter sido difícil para ele quando a Srta. Burnet fugiu. De qualquer forma, seu homem a pegou, e tudo acaba bem. Não podemos prender ninguém sem o testemunho dela, isso está claro, portanto, quanto antes tivermos seu depoimento, melhor.

— A cada minuto ela fica mais forte — disse Holmes, olhando de relance para a governanta. — Mas diga, Baynes, quem é esse tal de Henderson?

— Henderson — o inspetor respondeu — é Dom Murillo, antes denominado o Tigre de San Pedro.

O Tigre de San Pedro! Toda a história do homem voltou à minha mente num clarão. Ele construíra sua reputação como o mais lascivo e sangrento tirano que já governou qualquer país que pretendesse ser civilizado. Forte, destemido e energético, ele tinha virtudes suficientes para conseguir impor seus vícios detestáveis a um povo amedrontado por dez ou doze anos. Seu nome era um terror por toda a América Central. No fim desse período, houve um levante universal contra ele. Mas ele era tão astuto quanto cruel, e ao primeiro sinal dos problemas iminentes, já havia levado em segredo seus tesouros para um navio tripulado por devotados seguidores. Foi um palácio vazio que os insurgentes invadiram no dia seguinte. O ditador, suas duas filhas, seu secretário e sua riqueza haviam sumido. Desde aquele momento, ele desapareceu da face da Terra, e sua identidade foi o assunto de frequentes comentários na imprensa europeia.

— Sim, senhor; Dom Murillo, o Tigre de San Pedro — disse Baynes. — Se pesquisar, vai descobrir que as cores de San Pedro são verde e branco, as mesmas mencionadas no bilhete, Sr. Holmes. Ele chamava a si mesmo de Henderson, mas eu rastreei seu percurso até o início, de Paris, Roma e Madri até Barcelona, onde seu navio chegou em 1886. Estão à procura dele todo esse tempo para se vingar, mas somente agora começaram a localizá-lo.

— Descobriram seu paradeiro um ano atrás — disse a Srta. Burnet, que erguera o tronco e agora estava acompanhando atentamente a conversa. — Já uma vez houvera um atentado à sua vida; mas algum espírito perverso o protegera. Agora, novamente, foi o nobre, cavalheiresco Garcia quem tombou, enquanto o monstro continua a salvo. Mas outro virá, e mais outro, até que algum dia a justiça será feita; isso é tão certo quanto o sol nascer amanhã. — Suas mãos finas crisparam-se, e seu rosto exausto empalideceu com a paixão de seu ódio.

— Mas qual o seu papel nessa questão, Srta. Burnet? — perguntou Holmes. — Como uma dama inglesa pôde se envolver numa ação tão homicida?

— Eu me envolvi porque não há nenhuma outra maneira no mundo de a justiça ser obtida. O que importam para a lei inglesa os rios de sangue derramados há anos em San Pedro ou o navio carregado de riquezas que esse homem roubou? Para os senhores, são como crimes cometidos em algum outro planeta. Mas *nós* sabemos. Aprendemos a verdade na dor e no sofrimento. Para nós, não existe demônio no inferno como Juan Murillo, e não haverá paz na vida enquanto suas vítimas continuarem clamando por vingança.

— Sem dúvida — disse Holmes —, ele era como o descreve, ouvi dizer que era atroz. Mas em que isso a afeta?

— Contarei tudo. A política desse vilão era assassinar, com este ou aquele pretexto, todo homem que fosse promissor a ponto de poder tornar-se futuramente um rival perigoso. Meu marido, sim, meu verdadeiro nome é *signora* Victor Durando, era representante diplomático de San Pedro em Londres. Ele me conheceu e se casou comigo ali. Um homem mais nobre jamais viveu no mundo. Infelizmente, Murillo ouviu falar de sua excelência, chamou-o com algum pretexto e mandou que atirassem nele. Com uma premonição de seu destino, ele se recusou a me levar. Suas propriedades foram confiscadas, e a mim só restou uma ninharia e um coração partido.

"Então veio a queda do tirano. Ele fugiu exatamente como o senhor descreveu. Mas os muitos cujas vidas ele arruinara, cujos entes mais próximos e mais queridos sofreram tortura e morte pelas suas mãos, não deixariam as coisas como estavam. Eles se uniram numa sociedade que jamais seria dissolvida até que o trabalho estivesse completo. Minha parte, depois que descobrimos no transformado Henderson o déspota caído, era ligar-me à sua casa e manter os outros a par de seus movimentos. Isso consegui fazer assumindo a posição de governanta em sua família. Mal sabia ele que a mulher que o encarava a cada refeição era a esposa daquele que ele despachara, sem quase nenhum sobreaviso, para a eternidade. Eu sorria para ele, cumpria meus deveres com as meninas e contava as horas. Uma tentativa foi feita em Paris e fracassou. Ziguezagueamos rapidamente para lá e para cá pela Europa, a fim de despistar os perseguidores, e finalmente voltamos a esta casa, que ele alugara na primeira vez em que chegara à Inglaterra.

Mas aqui, também, os ministros da Justiça estavam à espera. Sabendo que ele voltaria, Garcia, que é filho do antigo dignitário mais alto de San Pedro, estava esperando com dois companheiros fiéis de posição humilde, os três inflamados para a vingança pelos mesmos motivos. Ele pouco podia fazer durante o dia, pois Murillo tomava todas as precauções, e nunca saía, a não ser com seu satélite, Lucas, ou Lopez, como este era conhecido nos dias de grandeza de seu amo. À noite, porém, Murillo dormia sozinho, e o vingador poderia encontrá-lo. Numa certa noite, que fora previamente combinada, mandei as instruções finais para o meu amigo, pois o tirano estava sempre alerta e mudava continuamente de quarto. Eu precisava garantir que as portas estivessem abertas, e o sinal de uma luz verde ou branca numa janela de frente para a entrada avisaria se estava tudo pronto ou se seria melhor adiar a tentativa.

Mas tudo deu errado para nós. De alguma forma, eu havia despertado a desconfiança de Lopez, o secretário. Ele se aproximou de mansinho e me flagrou assim que terminei de escrever o bilhete. Ele e seu patrão me arrastaram para o meu quarto, e me julgaram como uma traidora no banco dos réus. Ali e naquela hora eles teriam cravado seus punhais em mim se soubessem como escapar às consequências do ato. Finalmente, após muito debater, concluíram que meu assassinato seria perigoso demais. Mas decidiram livrar-se para sempre de Garcia. Amordaçaram-me, e Murillo torceu meu braço até que lhe revelei o endereço. Juro que o deixaria torcê-lo até arrancar se eu tivesse entendido o que isso significaria para Garcia. Lopez sobrescritou o bilhete que eu escrevera, selou-o com sua abotoadura e mandou seu criado, José, entregá-lo. Como o assassinaram, não sei, só sei que foi a mão de Murillo que o abateu, pois Lopez ficara para me vigiar. Acredito que ele deva ter esperado entre os arbustos de tojo que o caminho atravessa, e derrubou Garcia quando este passou. De início os dois pensaram em deixá-lo entrar na casa e matá-lo alegando ter concluído que fosse um ladrão; mas perceberam que se houvesse uma investigação, a identidade dos dois seria imediatamente revelada, e eles estariam expostos a novos ataques. Com a morte de Garcia, a perseguição poderia cessar, já que uma morte assim poderia amedrontar outros que quisessem assumir a tarefa.

Tudo estaria bem para eles, não fosse o meu conhecimento do que fizeram. Não tenho dúvidas de que houve momentos em que minha vida esteve em jogo. Fui confinada ao meu quarto, aterrorizada com as ameaças mais horríveis, maltratada cruelmente para quebrar meu espírito — vejam esta punhalada no meu ombro e os hematomas que cobrem meus braços — e uma mordaça foi enfiada na minha boca na única ocasião em que tentei gritar da janela. Por cinco dias esse aprisionamento cruel continuou, com comida quase insuficiente para manter a alma unida ao corpo. Hoje à tarde, um bom almoço me foi trazido, mas assim que terminei de comer, percebi que havia sido intoxicada. Numa espécie de sonho lembro que fui meio levada, meio carregada até a carruagem; no mesmo estado fui conduzida até o trem. Somente então, quando as rodas estavam quase girando, percebi de repente que minha liberdade estava em minhas próprias mãos. Saltei para fora, eles tentaram me puxar de volta, e se não fosse pela ajuda deste bom homem, que me levou até o táxi, eu jamais teria conseguido me desvencilhar. Agora, graças a Deus, estou fora do alcance deles para sempre."

Todos ouvimos atentamente esse notável depoimento. Foi Holmes quem rompeu o silêncio.

— Nossas dificuldades não terminaram — ele comentou, balançando a cabeça. — Nosso trabalho policial termina, mas o trabalho jurídico se inicia.

— Exatamente — eu disse. — Um advogado poderia plausivelmente interpretar o crime como legítima defesa. Por mais que haja centenas de crimes no passado, é somente por este que eles podem ser julgados.

— Ora, ora — disse Baynes alegremente —; não tenho uma opinião tão ruim da justiça. Legítima defesa é uma coisa. Atrair um homem a sangue-frio com o objetivo de assassiná-lo é outra, seja qual for o perigo que se tema dele. Não, não; seremos todos justificados quando virmos os ocupantes de High Gable na próxima sessão judicial em Guildford.

É uma questão histórica, no entanto, que algum tempo ainda iria se passar antes que o Tigre de San Pedro recebesse o que merecia. Astutos e corajosos, ele e seu companheiro despistaram seu perseguidor, entrando numa hospedaria na

Edmonton Street e saindo pelo portão dos fundos, que dava para a Curzon Square. Desde aquele dia, não foram mais vistos na Inglaterra. Uns seis meses depois, o marquês de Montalva e o *signor* Rulli, seu secretário, foram assassinados em seus aposentos no Hotel Escurial, em Madri. O crime foi atribuído ao niilismo, e os assassinos nunca foram capturados. O inspetor Baynes nos visitou na Baker Street com uma descrição impressa do rosto escuro do secretário e dos traços autoritários, magnéticos olhos negros e sobrancelhas espessas de seu patrão. Não pudemos duvidar de que a justiça, ainda que tardiamente, por fim fora feita.

— Um caso caótico, meu caro Watson — disse Holmes, baforando um cachimbo vespertino. — Não lhe será possível apresentá-lo daquela forma compacta que você tanto ama. Ele abrange dois continentes, envolve dois grupos de pessoas misteriosas, e é complicado ainda mais pela presença altamente respeitável do nosso amigo Scott Eccles, cuja inclusão me demonstra que o falecido Garcia tinha uma mente ardilosa e um instinto de autopreservação bem desenvolvido. É notável somente pelo fato de que, em meio a uma verdadeira selva de possibilidades, nós, com nosso valoroso colaborador, o inspetor, tenhamo-nos mantido próximos ao essencial e assim sido guiados por um caminho tão irregular e tortuoso. Há algum detalhe que não tenha ficado totalmente claro para você?

— O objetivo da volta do mulato?

— Acho que pode ter sido a estranha criatura na cozinha. O homem era um selvagem primitivo das florestas de San Pedro, e aquele era o seu fetiche. Quando seu colega e ele tiveram que fugir para algum refúgio previamente combinado, já ocupado, sem dúvida, por um comparsa, o colega o persuadiu a deixar para trás aquele item tão comprometedor. Mas o coração do mulato ficara ali, e ele se viu atraído para lá no dia seguinte, quando, espreitando pela janela, percebeu que o policial Walters estava de guarda na casa. O selvagem esperou três dias mais, e então sua devoção ou sua superstição o instigaram a tentar mais uma vez. O inspetor Baynes, que, com sua astúcia habitual, minimizara o incidente ao falar comigo, havia na verdade reconhecido sua importância, e preparara uma armadilha na qual a criatura caiu. Algum outro detalhe, Watson?

— O pássaro despedaçado, o balde de sangue, os ossos chamuscados, todo o mistério daquela cozinha esquisita?

Holmes sorriu ao procurar uma anotação em seu caderno.

— Passei a manhã no Museu Britânico lendo sobre esse e outros detalhes. Aqui está uma citação de *Voduísmo e as Religiões Negroides*, de Eckermann:

O verdadeiro adepto do vodu não tenta nada que seja importante sem fazer certos sacrifícios, com o intuito de propiciar seus deuses impuros. Em casos extremos, esses rituais assumem a forma de sacrifícios humanos seguidos de canibalismo.

As vítimas mais costumeiras são um galo branco, que é despedaçado vivo, ou um bode preto, cuja garganta é cortada e o corpo, queimado.

— Portanto, como vê, nosso amigo selvagem era assaz ortodoxo em seus rituais. É grotesco, Watson — Holmes acrescentou, fechando lentamente seu caderno —, mas, como já tive ocasião de salientar, só um passo separa o grotesco do horrível.

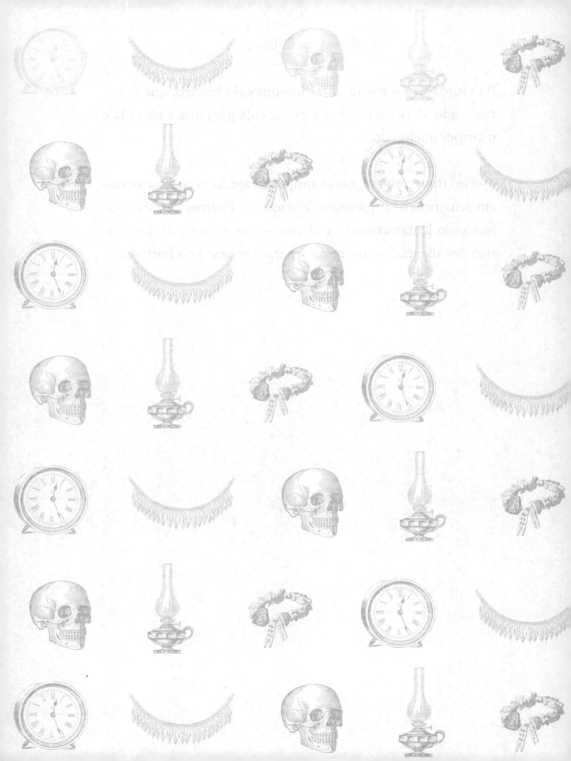

dois

A AVENTURA DA CAIXA DE PAPELÃO

Ao escolher alguns casos típicos que ilustrassem as notáveis qualidades mentais do meu amigo Sherlock Holmes, tentei, até onde foi possível, selecionar aqueles que apresentam o mínimo de sensacionalismo, enquanto oferecem um bom campo para os seus talentos. É todavia impossível, infelizmente, separar totalmente o sensacional do criminal, e um cronista se vê diante do dilema de sacrificar detalhes essenciais ao seu relato, dando assim uma impressão falsa do problema, ou usar material que o acaso, e não a escolha, lhe forneceu. Após esse breve prefácio, passarei às minhas anotações do que provou ser uma estranha, embora peculiarmente terrível, sequência de acontecimentos.

Era um dia escaldante de agosto. A Baker Street parecia um forno, e o brilho do sol nos tijolos amarelos das casas do outro lado da rua doía nos olhos. Era difícil acreditar que aquelas eram as mesmas paredes que ficavam tão sombrias durante os nevoeiros do inverno. Nossas persianas estavam semicerradas, e Holmes jazia enrolado no sofá, lendo e relendo uma carta que recebera no correio matinal. De minha parte, meu tempo de serviço na Índia me treinara para suportar o calor melhor do que o frio, e um termômetro marcando 32 graus não era um suplício. Mas o jornal matinal estava desinteressante. O Parlamento entrara em recesso. Todos estavam fora da cidade, e eu ansiava pelos bosques de New Forest ou pelas praias pedregosas de Southsea. Uma conta bancária esgotada me obrigara a adiar minhas férias, e quanto ao meu colega, nem o campo, nem o mar representavam a menor atração, para ele. Ele adorava estar bem no centro de cinco milhões de pessoas, emitindo filamentos que se espalhavam e se misturavam a elas, sensíveis a qualquer mínimo boato ou suspeita de crime sem solução. A apreciação da natureza não fazia parte das muitas aptidões de Holmes, e sua única mudança acontecia quando ele desviava sua mente dos malfeitores urbanos para rastrear seus correligionários do campo.

Vendo que Holmes estava absorto demais para conversar, joguei para o lado o árido jornal e, afundando as costas na poltrona, perdi-me em devaneios. De repente, a voz do meu colega invadiu meus pensamentos.

— Tem razão, Watson — ele disse. — Parece uma maneira absurda de resolver uma disputa.

— Muito absurda! — exclamei, e então, subitamente me dando conta de como ele ecoara os meus pensamentos mais recônditos, endireitei o corpo na poltrona e o olhei, imobilizado pelo assombro.

— O que é isso, Holmes? — exclamei. — Vai além de qualquer coisa que eu poderia imaginar.

Ele riu gostosamente da minha perplexidade.

— Você deve lembrar — disse — que algum tempo atrás, quando li o trecho de um conto de Poe em que um pensador segue os pensamentos não verbalizados do seu amigo, você ficou inclinado a considerar a questão um mero *tour de force* do autor. Quando comentei que tenho o hábito de fazer constantemente a mesma coisa, você manifestou incredulidade.

— Oh, não!

— Talvez não com a língua, meu caro Watson, mas certamente com as sobrancelhas. Por isso, quando vi que largou o jornal e mergulhou em seus pensamentos, fiquei muito feliz com a oportunidade de lê-los, e finalmente me intrometer neles, como prova de que tenho uma ligação com você.

Mas eu ainda estava longe de me dar por satisfeito.

— No exemplo que você me leu — eu disse —, o pensador tirou suas conclusões das ações do homem que observava. Se bem me lembro, este tropeçou num montinho de pedras, olhou para as estrelas, e por aí vai. Mas eu estava sentado quietinho em minha poltrona, então que pistas posso ter fornecido?

— Você é injusto consigo mesmo. A fisionomia foi dada ao homem como um meio de manifestar suas emoções, e a sua é uma serva fiel.

— Está dizendo que leu meus pensamentos na minha fisionomia?

— Na sua fisionomia e especialmente nos seus olhos. Talvez nem você mesmo consiga lembrar como seu devaneio começou.

— Não, não consigo.

— Então eu vou contar. Depois de largar o jornal, que foi a ação que chamou minha atenção para seus gestos, você ficou parado por meio minuto, com um olhar vazio. Então seus olhos pousaram no seu recém-emoldurado retrato do general Gordon, e percebi, pela mudança em seu rosto, que uma linha de pensamento havia começado. Mas ela não foi muito longe. Seus olhos passaram pelo retrato ainda sem moldura de Henry Ward Beecher que está sobre seus livros. Você então olhou para a parede, e, naturalmente, o motivo era óbvio. Você estava pensando que, se o retrato estivesse emoldurado, preencheria aquele espaço vazio e ficaria em simetria com o retrato de Gordon, ali.

— Você me seguiu maravilhosamente! — exclamei.

— Até esse ponto teria sido difícil me perder. Mas então seus pensamentos voltaram para Beecher, e você o olhou sério, como se estivesse estudando seus traços. Depois, seus olhos não ficaram tão apertados, mas você continuou a olhar para longe, e seu rosto estava pensativo. Você estava lembrando os incidentes da carreira de Beecher. Tenho plena consciência de que não poderia fazer isso sem pensar na missão que ele realizou para o Norte na época da Guerra Civil, pois lembro que você expressou veemente indignação com o modo como ele foi recebido por nossos cidadãos mais turbulentos. Aquilo o inflamava tanto que eu sabia que você não conseguia pensar em Beecher sem pensar nisso também. Quando, um momento depois, vi seu olhar se afastando do retrato, suspeitei que sua mente tivesse se voltado para a Guerra Civil, e quando observei seus lábios crispados, olhos brilhantes e punhos cerrados, tive certeza de que de fato você estava pensando na coragem demonstrada por ambos os lados naquele desesperado embate. Mas então, mais uma vez, seu rosto ficou mais soturno; você balançou a cabeça. Estava pensando na tristeza, no horror e no desperdício inútil de vidas. Sua mão subiu para o local do seu ferimento e um sorriso pairou em seus lábios, o que me revelou que o lado ridículo desse modo de resolver questões internacionais havia penetrado a sua mente. Nesse ponto, concordei com você que ele é absurdo, e tive a felicidade de descobrir que todas as minhas deduções estavam corretas.

— Absolutamente! — eu disse. — E agora que você explicou, confesso que continuo tão maravilhado quanto antes.

— Foi muito superficial, meu caro Watson, garanto. Não teria me intrometido em seus pensamentos se você não tivesse manifestado uma certa incredulidade naquele dia. Mas tenho em minhas mãos um probleminha que pode se provar mais difícil de solucionar do que minha singela incursão pela leitura de pensamentos. Você observou no jornal uma breve nota se referindo ao curioso conteúdo de um pacote enviado pelo correio para a Srta. Susan Cushing, da Cross Street, em Croydon?

— Não, não vi nada.

— Ah! Então não deve ter notado. Jogue o jornal para cá. Aqui está, abaixo da seção financeira. Talvez você pudesse ter a bondade de lê-la em voz alta.

Peguei o jornal que ele me jogara de volta e li o parágrafo indicado. O título era "Um Pacote Macabro".

— "A Srta. Susan Cushing, que mora na Cross Street, em Croydon, foi vítima do que pode ser considerada uma brincadeira de mau gosto peculiarmente revoltante, a menos que algum significado mais sinistro prove estar associado ao incidente. Às 14h00 de ontem, um pequeno pacote, embrulhado em papel pardo, foi entregue pelo carteiro. Dentro havia uma caixa de papelão cheia de sal grosso. Ao esvaziá-la, a Srta. Cushing ficou horrorizada ao encontrar duas orelhas humanas, aparentemente decepadas havia pouco. A caixa fora enviada como encomenda de Belfast na manhã anterior. Não há nenhuma indicação de um remetente, e o caso se torna mais misterioso porque a Srta. Cushing, uma dama celibatária de 50 anos, leva uma vida isolada, e tem tão poucos conhecidos ou correspondentes que é raro que receba qualquer coisa pelo correio. Há alguns anos, porém, quando residia em Penge, ela alugou quartos de sua casa para três jovens estudantes de Medicina, dos quais foi obrigada a se livrar devido aos hábitos barulhentos e irregulares dos rapazes. A polícia é da opinião de que esse ultraje possa ter sido dirigido à Srta. Cushing por tais jovens, que se ressentiam dela e esperavam apavorá-la mandando-lhe essas relíquias das salas de dissecação. O que torna essa teoria provável é o fato de um desses estudantes ser do norte da Irlanda e, pelo que a Srta. Cushing sabe, de Belfast. Enquanto isso, o caso está sendo ativamente investigado, e o Sr. Lestrade, um dos nossos detetives mais inteligentes, foi encarregado do caso."

— Quanto ao *Daily Chronicle*, é isso — disse Holmes quando terminei de ler. — Agora, sobre nosso amigo Lestrade. Recebi um bilhete dele hoje de manhã que dizia: "Acho que esse caso faz muito o seu tipo. Temos grandes esperanças de esclarecer a questão, mas encontramos um pouco de dificuldade em conseguir qualquer pista. Naturalmente, já telegrafamos para a agência dos correios de Belfast, mas um grande número de encomendas foi postado naquele dia, e eles não têm como identificar esta em particular, nem lembrar quem a enviou. A caixa é uma embalagem de duzentos gramas de tabaco *honeydew*, e não nos ajuda em nada. A teoria dos estudantes de Medicina ainda me parece a mais viável, mas se o senhor tiver algumas horas disponíveis, ficarei muito feliz em encontrá-lo aqui. Estarei na casa da mulher ou na chefatura de polícia o dia todo". O que me diz,

Watson? Está disposto a enfrentar o calor e me acompanhar até Croydon, movido pela remota probabilidade de ter mais um caso para seus anais?

— Eu estava ansioso para ter algo a fazer.

— Você terá, então. Toque a campainha para convocar nosso pajem e peça que ele chame um táxi. Volto num momento, vou só me trocar e abastecer minha charuteira.

Caiu um aguaceiro enquanto estávamos no trem, e o calor era bem menos opressivo em Croydon do que na cidade. Holmes telegrafara, de modo que Lestrade, magro, elegante e com cara de fuinha como de costume, estava à nossa espera na estação. Uma caminhada de cinco minutos nos levou até a Cross Street, onde a Srta. Cushing residia.

Era uma rua muito longa de sobrados de tijolo, limpos e organizados, com degraus de pedra caiada e pequenos grupos de mulheres de avental mexericando nas portas das casas. No meio do caminho, Lestrade parou e bateu numa porta, que foi aberta por uma pequena criada. A Srta. Cushing estava sentada na sala de estar, para a qual fomos conduzidos. Era uma mulher de semblante plácido, com olhos grandes e suaves e cabelo grisalho curvado sobre as têmporas, dos lados do rosto. Ela tinha uma capa de sofá bordada no colo e um cesto de fios coloridos de seda num banco ao seu lado.

— Estão no galpão, aquelas coisas pavorosas — ela disse, assim que Lestrade entrou. — Gostaria que o senhor as levasse embora de uma vez.

— Eu levarei, Srta. Cushing. Só as deixei aqui até que meu amigo, o Sr. Holmes, pudesse vê-las na sua presença.

— Por que na minha presença, senhor?

— Para o caso de ele querer fazer alguma pergunta.

— De que adianta me fazer perguntas, quando já disse que não sei absolutamente nada sobre isso?

— Deveras, madame — disse Holmes, à sua maneira conciliadora. — Não tenho dúvidas de que já foi incomodada mais do que o suficiente a respeito desse caso.

— Fui mesmo, senhor. Sou uma mulher sossegada e levo uma vida discreta. É novidade, para mim, ver meu nome nos jornais e encontrar a polícia na minha casa. Não quero aquelas coisas aqui dentro, Sr. Lestrade. Se quiser vê-las, terá que ir para o galpão.

Era uma pequena edícula no estreito jardim que se estendia atrás da casa. Lestrade entrou e trouxe uma caixa de papelão amarelo, com um pedaço de papel pardo e um pouco de barbante. Havia um banco à beira do passeio, e todos nos sentamos enquanto Holmes examinava, um por um, os itens que Lestrade lhe entregava.

— O barbante é de grande interesse — ele comentou, segurando-o sob a luz e cheirando-o. — O que acha deste barbante, Lestrade?

— Foi betumado.

— Exatamente. É um pedaço de barbante betumado. Você também, sem dúvida, reparou que a Srta. Cushing cortou o barbante com uma tesoura, como se pode ver pelo esgarçado duplo de cada lado. Isso é importante.

— Não entendo a importância — disse Lestrade.

— A importância está no fato de que o nó foi deixado intacto e desse nó ser de um tipo peculiar.

— Está muito bem amarrado. Já fiz uma anotação a respeito — disse Lestrade, complacente.

— Sobre o barbante, é isso, então — disse Holmes sorrindo —; agora, o embrulho. Papel pardo com um cheiro distinto de café. Como não observou isso? Acho que não resta dúvida. Endereço escrito em letra de forma um tanto irregular: "Srta. S. Cushing, Cross Street, Croydon". Foi usada uma pena de bico largo, provavelmente uma J, e nanquim de qualidade assaz inferior. A palavra Croydon foi escrita primeiro com "i", depois alterado para "y". O embrulho foi enviado, então, por um homem — a letra é distintamente masculina — com pouca educação e que não conhecia a cidade de Croydon. Até aí, tudo bem! A caixa é amarela, de duzentos gramas de *honeydew*, sem nada de particular, a não ser duas marcas de polegar no canto inferior esquerdo. Ela está cheia de sal grosso, do tipo usado para conservar couros e outros fins comerciais dos mais grosseiros. E enterrados no sal, estes dois objetos tão singulares.

Ele tirou as duas orelhas enquanto falava, e apoiando uma tábua nos joelhos, examinou-as meticulosamente, enquanto Lestrade e eu, curvados de ambos os seus lados, olhávamos alternadamente para aquelas relíquias hediondas e para o rosto pensativo e concentrado do nosso colega. Finalmente, ele as devolveu à caixa mais uma vez, e ficou sentado por algum tempo, mergulhado em pensamentos.

— Você observou, é claro — ele disse finalmente —, que as orelhas não formam um par.

— Sim, notei isso. Mas se fosse a brincadeira de alunos de um curso de anatomia, seria tão possível que mandassem duas orelhas diferentes quanto um par.

— Exatamente. Mas não se trata de uma brincadeira.

— Tem certeza?

— A presunção é fortemente contrária a isso. Nos cadáveres das salas de dissecação, é injetado um fluido preservativo. Estas orelhas não têm sinal dele. Também são novas. Foram decepadas com um instrumento sem fio, o que dificilmente seria o caso se um estudante o tivesse feito. Mais uma vez, o ácido carbólico ou o álcool retificado seriam os preservativos que ocorreriam à mente de um médico, e não certamente o sal grosso. Repito que isto não foi uma brincadeira, mas que estamos investigando um crime grave.

Um vago calafrio percorreu meu corpo ao ouvir as palavras do meu colega e ver a profunda seriedade que endurecera seu semblante. Essa brutal preliminar parecia antecipar algum estranho e inexplicável horror subjacente. Lestrade, no entanto, balançou a cabeça como alguém que só está parcialmente convencido.

— Há objeções para a teoria da brincadeira, sem dúvida — ele disse —; mas existem motivos muito mais fortes para duvidar-se da outra. Sabemos que esta mulher levou uma vida tranquila e respeitável, em Penge e aqui, pelos últimos vinte anos. Ela raramente ausentou-se de casa por um dia inteiro durante esse período. Por que, então, algum criminoso mandar-lhe-ia as provas de sua culpa, especialmente considerando, a menos que se trate de uma excelente atriz, que ela sabe sobre o caso tão pouco quanto nós sabemos?

— Esse é o problema que precisamos resolver — Holmes respondeu —, e de minha parte começarei presumindo que meu raciocínio está correto e que um duplo homicídio foi cometido. Uma destas orelhas é de mulher, pequena, bem formada e com um furo de brinco. A outra é de homem, bronzeada, manchada e também com um furo de brinco. Essas duas pessoas, presumivelmente, estão mortas, ou já deveríamos ter ouvido falar delas. Hoje é sexta-feira. O pacote foi postado na manhã de quinta. A tragédia, então, aconteceu na quarta ou na terça, ou antes disso. Se as duas pessoas foram assassinadas, quem, senão o assassino, iria mandar este sinal do seu trabalho para a Srta. Cushing? Precisamos presumir que o remetente do pacote é o homem que procuramos. Mas ele precisaria ter um bom motivo para enviar este pacote à Srta. Cushing. Que motivo, então? Deve ter sido para lhe informar que o serviço foi realizado; ou para fazê-la sofrer, talvez. Mas, nesse caso, ela sabe quem é. Ela sabe? Duvido. Se soubesse, por que chamaria a polícia? Poderia ter

A AVENTURA DA CAIXA DE PAPELÃO

enterrado as orelhas e ninguém ficaria sabendo. Era isso que ela teria feito se quisesse proteger o criminoso. Mas se não quisesse protegê-lo, diria o nome dele. Há um emaranhado aí que precisa ser desembaraçado. — Ele estava falando em voz alta e rapidamente, olhando com expressão vazia na direção da cerca do jardim, mas então levantou-se abruptamente e andou até a casa.

— Tenho algumas perguntas para a Srta. Cushing — ele disse.

— Nesse caso, vou deixá-los aqui — disse Lestrade —, pois tenho outro assuntozinho para resolver. Acho que não vou descobrir mais nada com a Srta. Cushing. Vocês me encontrarão na chefatura de polícia.

— Passaremos por lá a caminho da estação — respondeu Holmes. Um momento depois, ele e eu estávamos de volta à sala, onde a dama impassível continuava trabalhando silenciosamente em sua capa de sofá. Ela a deixou no colo quando entramos, e nos olhou com seus olhos azuis sinceros e inquisidores.

— Estou convencida, senhor — ela disse —, de que esse caso é um engano e que o pacote não era nem destinado a mim. Já disse isso várias vezes para o cavalheiro da Scotland Yard, mas ele se limita a rir de mim. Não tenho um só inimigo no mundo, até onde sei, então por que alguém faria uma brincadeira dessas comigo?

— Estou chegando à mesma conclusão, Srta. Cushing — disse Holmes, sentando-se ao lado dela. — Acho que é mais do que provável... — Ele se interrompeu, e fiquei surpreso, ao olhá-lo, em ver como fitava com singular concentração o perfil da mulher. Surpresa e satisfação passaram num instante pelo seu rosto afoito, mas quando ela se virou para descobrir o motivo do seu silêncio, ele voltou a ser comedido como sempre. Também olhei com atenção para o cabelo liso e grisalho da mulher, para sua touca discreta, seus pequenos brincos dourados, seu semblante plácido; mas não consegui ver nada que pudesse explicar a evidente empolgação do meu colega.

— Eu teria uma ou duas perguntas...

— Oh, estou farta de perguntas! — exclamou a Srta. Cushing, impaciente.

— A senhorita tem duas irmãs, pelo que sei.

— Como pode saber?

— Observei, assim que entrei na sala, que a senhorita tem o retrato de três damas sobre a moldura da lareira, uma das quais sem dúvida é a senhorita, enquanto as outras duas assemelham-se-lhe tanto que não pode haver dúvida quanto ao parentesco.

— Sim, tem toda a razão. Aquelas são minhas irmãs, Sarah e Mary.

— E aqui ao meu lado está outro retrato, feito em Liverpool, de sua irmã mais nova, na companhia de um homem que parece ser um taifeiro, pelo uniforme. Observo que ela não era casada, na época.

— O senhor é muito observador.

— É o meu ofício.

— Bem, acertou. Mas ela se casou com o Sr. Browner alguns dias depois. Ele estava na linha sul-americana quando tirou esse retrato, mas gostava tanto da minha irmã que não suportava ficar longe tanto tempo, e foi trabalhar nos navios da rota entre Liverpool e Londres.

— Ah, o *Conqueror*, talvez?

— Não, o *May Day*, pela última informação que tive. Jim veio aqui me ver, uma vez. Isso foi antes de romper a abstinência; mas depois passou a beber sempre que estava em terra, e qualquer bebidinha o deixava louco, descontrolado. Ah! Triste dia em que ele pegou num copo pela primeira vez. Primeiro cortou relações comigo, depois brigou com Sarah, e agora que Mary parou de escrever, não sabemos como estão as coisas entre eles.

Era evidente que a Srta. Cushing abordara um assunto que a afetava profundamente. Como a maioria das pessoas que leva uma vida solitária, ela era tímida de início, mas acabou se tornando extremamente comunicativa. Falou sobre vários detalhes de seu cunhado, o taifeiro, e então, divagando para o assunto de seus ex-inquilinos, os estudantes de Medicina, fez um longo relato de seus delitos, dando os nomes dos rapazes e de seus hospitais. Holmes ouvia tudo atentamente, fazendo alguma pergunta de vez em quando.

— Sobre sua irmã do meio, Sarah — ele disse. — Pergunto-me, já que a senhorita e ela são solteiras, por que não moram juntas.

— Ah! O senhor não conhece o temperamento de Sarah, ou não perguntaria isso. Tentei morar com ela quando vim para Croydon, e estávamos juntas até uns dois meses atrás, quando tivemos que nos separar. Não quero falar mal da minha própria irmã, mas ela sempre foi intrometida e difícil de agradar, a Sarah.

— A senhora disse que ela brigou com seus parentes de Liverpool.

— Sim, e eles já foram grandes amigos. Ora, ela chegou a ir para lá só para ficar perto deles. E agora não mede insultos quando fala de Jim Browner. Nos últimos seis meses em que morou aqui, ela não falava de nada além das bebedeiras e dos modos dele. Desconfio que ele a flagrou se intrometendo e lhe disse umas poucas e boas, e foi assim que tudo começou.

— Obrigado, Srta. Cushing — disse Holmes, levantando-se e fazendo uma reverência. — Sua irmã Sarah mora, se bem me lembro, na New Street, em Wallington? Adeus, e lamento muito que tenha sido importunada acerca de um caso com o qual, como bem disse, não tem nada a ver.

Havia um táxi passando quando saímos, e Holmes fez sinal para que parasse.

— A que distância fica Wallington? — ele perguntou.

— Mais ou menos um quilômetro e meio, senhor.

— Muito bem. Suba aqui, Watson. Precisamos malhar o ferro enquanto está quente. Por mais simples que seja esse caso, há um ou dois detalhes muito instrutivos relacionados a ele. Pare numa agência telegráfica no caminho, cocheiro.

A AVENTURA DA CAIXA DE PAPELÃO

Holmes enviou um breve telegrama, e pelo resto da viagem refestelou-se no táxi com o chapéu abaixado até o nariz, para proteger o rosto do sol. Nosso cocheiro parou numa casa não muito diferente da que havíamos acabado de deixar. Meu colega mandou que ele esperasse, e já ia bater quando a porta se abriu e um jovem cavalheiro sério, vestido de preto, com um chapéu muito lustroso, apareceu na soleira.

— A Srta. Sarah Cushing está? — perguntou Holmes.

— A Srta. Sarah Cushing está extremamente doente — ele respondeu. — Sofre desde ontem de sintomas cerebrais da maior gravidade. Como seu médico, não posso assumir a responsabilidade de permitir que ela receba ninguém. Recomendo que volte a procurá-la daqui a dez dias. — Ele calçou as luvas, fechou a porta e saiu andando pela rua.

— Bem, se não podemos, não podemos — disse Holmes alegremente.

— Talvez ela nem fosse poder ou querer revelar muita coisa.

— Eu não esperava que ela me revelasse nada. Só queria olhar para ela. De qualquer forma, acho que já tenho tudo o que eu desejava. Leve-nos para algum hotel decente, cocheiro, onde possamos almoçar, e depois visitaremos nosso amigo Lestrade na chefatura de polícia.

Fizemos uma refeiçãozinha agradável juntos, durante a qual Holmes não falou de outra coisa além de violinos, narrando com grande exultação como comprara seu próprio Stradivarius, que valia no mínimo quinhentos guinéus, de um vendedor judeu da

Tottenham Court Road, por 55 xelins. Isso o levou a falar de Paganini, e passamos uma hora com uma garrafa de *claret*, durante a qual ele me contou uma anedota após a outra sobre esse homem extraordinário. A tarde já estava bem avançada, e o sol quente se transformara num brilho suave, quando chegamos à chefatura de polícia. Lestrade estava à nossa espera na entrada.

— Um telegrama para o senhor, Sr. Holmes — ele disse.

— Ha! É a resposta! — Ele o abriu, correu os olhos pela folha e a amassou no bolso. — Está tudo certo — ele disse.

— Descobriu alguma coisa?

— Descobri tudo!

— O quê?! — Lestrade olhou para ele, assombrado. — Está brincando.

— Nunca falei mais a sério em minha vida. Um crime chocante foi cometido, e acho que agora desvendei todos os seus detalhes.

— E o criminoso?

Holmes rabiscou algumas palavras no verso de um dos seus cartões de visita e o jogou para Lestrade.

— Aí está — ele disse —; você não poderá efetuar uma prisão até amanhã à noite, no mínimo. Prefiro absolutamente que não mencione meu nome em conexão com o caso, pois só quero ser associado a crimes que apresentem alguma dificuldade em sua solução. Venha, Watson. — Seguimos juntos para a estação, deixando Lestrade ainda olhando com expressão deliciada para o cartão que Holmes lhe jogara.

— O caso — disse Sherlock Holmes, quando conversávamos fumando charutos, naquela noite, em nossos aposentos na Baker Street — é tal que, como nas investigações por você relatadas sob os nomes de "Um Estudo em Vermelho" e "O Signo dos Quatro", somos compelidos a raciocinar inversamente, partindo dos efeitos para as causas. Escrevi para Lestrade pedindo que ele nos fornecesse os detalhes que faltam no momento, e que ele só obterá depois de capturar nosso homem. Podemos confiar com segurança que o fará, pois embora ele seja absolutamente privado de raciocínio, é tão tenaz quanto um buldogue quando entende o que precisa fazer, e foi, de fato, apenas essa tenacidade que o fez ascender ao topo da Scotland Yard.

— Seu caso não está completo, então? — perguntei.

— Está bastante completo no essencial. Sabemos quem é o autor desse revoltante crime, embora uma das vítimas ainda nos seja desconhecida. Naturalmente, você já formou suas próprias conclusões.

— Presumo que seja esse Jim Browner, o taifeiro do navio de Liverpool, o homem de quem você suspeita?

— Oh! É mais do que uma suspeita.

— No entanto, não consigo ver nada além de indicações muito vagas.

— Pelo contrário; a meu juízo, nada poderia ser mais claro. Permita-me apresentar as etapas principais. Abordamos o caso, você lembra, com a mente absolutamente vazia, o que é sempre uma vantagem. Não havíamos formado nenhuma teoria. Estávamos ali simplesmente para observar e inferir a partir de nossas observações. O que vimos primeiro? Uma senhora muito plácida e respeitável, que parecia totalmente inocente de qualquer segredo, e um retrato que me mostrou que ela tem duas irmãs mais novas. Instantaneamente, passou-me pela cabeça que a caixa pudesse se destinar a uma das irmãs. Reservei essa ideia para desmenti-la ou confirmá-la quando nos aprouvesse. Então fomos para o jardim, como você lembra, e examinamos o mui peculiar conteúdo da caixinha amarela.

"O barbante era do tipo usado por reparadores de velas a bordo de navios, e imediatamente a brisa do mar se fez perceptível na nossa investigação. Quando observei que o nó era de um tipo popular entre marinheiros, que o pacote fora postado num porto e que a orelha masculina tinha um furo de brinco, o que é muito mais comum entre marujos do que entre homens de terra firme, fiquei convencido de que todos os atores dessa tragédia podiam ser encontrados entre nossas classes marítimas.

Quando examinei o sobrescrito do pacote, observei que estava endereçado à Srta. S. Cushing. Bem, a irmã mais velha se chamava, é claro, Srta. Cushing, e embora sua inicial fosse 'S.', poderia também pertencer a uma das outras. Nesse caso, precisaríamos iniciar nossa investigação a partir de uma base totalmente nova. Portanto, entrei na casa com a intenção de esclarecer esse particular. Eu já ia garantir à Srta. Cushing que estava convencido de que um engano fora cometido, quando você deve lembrar que me interrompi abruptamente. O fato é que vi algo que me encheu de surpresa, e ao mesmo tempo reduziu imensamente o campo de nossa investigação.

Como homem de medicina, você tem consciência, Watson, de que nenhuma parte do corpo humano varia tanto quanto a orelha. Cada par de orelhas é, via de regra, bastante distinto, e difere de todos os outros. No *Anthropological Journal* do ano passado, você pode encontrar duas breves monografias de minha lavra sobre o assunto. Portanto, examinei as orelhas na caixa com o olhar de um especialista e anotei cuidadosamente suas peculiaridades anatômicas. Imagine minha surpresa, então, quando, ao olhar para a Srta. Cushing, percebi que sua orelha correspondia exatamente àquela feminina da caixa que eu acabara de inspecionar. A coisa toda era claramente mais do que uma coincidência. Lá estavam o mesmo encurtamento da pina, a mesma curva larga da parte superior, a mesma convolução da cartilagem interna. Em todo o essencial, era a mesma orelha.

Naturalmente, entendi de imediato a enorme importância dessa observação. Era evidente que a vítima era sua parente de sangue, e provavelmente de um grau bem próximo. Comecei a falar com ela de sua família, e você lembra que ela logo nos forneceu alguns detalhes muito valiosos.

Em primeiro lugar, o nome de sua irmã era Sarah, e o endereço desta era, até recentemente, o mesmo que o seu, portanto era bastante óbvio como o engano acontecera, e a quem se destinava o pacote. Então soubemos desse taifeiro, casado com a terceira irmã, e aprendemos que ele já fora tão íntimo da Srta. Sarah que ela chegou a ir se hospedar em Liverpool para estar perto dos Browner, mas que um desentendimento subsequentemente os separara. Esse desentendimento interrompera todas as comunicações por alguns meses, de modo que, se Browner quisesse endereçar um pacote para a Srta. Sarah, tê-lo-ia indubitavelmente enviado para o antigo endereço desta.

E então o caso começou a se aplanar maravilhosamente. Sabíamos da existência desse taifeiro, um homem impulsivo, de paixões fortes — lembre-se, ele rejeitou o que deveria ser um posto muito superior para ficar perto da esposa —, sujeito, também, a episódios ocasionais de severa embriaguez. Tínhamos motivos para crer que sua esposa fora assassinada, e que um homem — presumivelmente um homem do mar — fora assassinado ao mesmo tempo. O ciúme, é claro, logo se afigura como motivo do crime. E por que essas provas do ato deveriam ter sido enviadas à Srta. Sarah Cushing? Provavelmente porque durante sua residência em Liverpool ela tivera alguma participação nos acontecimentos que levaram à tragédia. Você observará que essa linha marítima aporta em Belfast, Dublin e Waterford; de modo que, presumindo que Browner tivesse cometido o ato e embarcado imediatamente em seu vapor, o *May Day*, Belfast seria o primeiro lugar de onde ele poderia enviar seu terrível pacote.

Uma segunda solução se apresentava, nesse ponto, obviamente possível, e embora eu a considerasse muito improvável, estava determinado a elucidá-la antes de prosseguir. Poderia ter sido um amante malsucedido a matar o Sr. e a Sra. Browner, e a orelha masculina poderia pertencer ao marido. Havia muitas objeções graves a essa teoria, mas ela era concebível. Portanto, mandei um telegrama para o meu amigo Algar, da polícia de Liverpool, e pedi que ele descobrisse se a Sra. Browner estava em casa, e se Browner partira no *May Day*. Então fomos para Wallington visitar a Srta. Sarah.

"Eu estava curioso, em primeiro lugar, para ver até que ponto a orelha da família fora reproduzida nela. Ela também, é claro, poderia nos dar informações muito importantes, mas eu não tinha tanta convicção de que daria. Ela deve ter sabido do caso no dia anterior, pois toda a Croydon só falava dele, e somente ela deveria ter entendido a quem o pacote se destinava. Se estivesse disposta a ajudar a justiça, provavelmente já ter-se-ia comunicado com a polícia. De qualquer forma, era claramente nosso dever ir vê-la, por isso fomos. Descobrimos que a notícia da chegada do pacote — pois sua doença datava desse momento — tivera tal efeito sobre ela que causara febre cerebral. Estava mais claro do que nunca que ela entendia o pleno significado da encomenda, mas era igualmente evidente que precisaríamos esperar algum tempo por qualquer ajuda que ela pudesse dar.

No entanto, não dependíamos dessa ajuda, na verdade. Nossas respostas estavam à nossa espera na chefatura de polícia, para onde pedi que Algar as enviasse por telegrama. Nada poderia ser mais conclusivo: a casa da Sra. Browner estava fechada havia mais de três dias, e os vizinhos eram da opinião de que ela viajara para o Sul para visitar os parentes. Verificou-se nos escritórios navais que Browner partira a bordo do *May Day*, e calculo que o navio deva entrar no Tâmisa amanhã à noite. Quando Browner chegar, será recebido pelo obtuso, porém resoluto Lestrade, e não tenho dúvidas de que completaremos todos os nossos detalhes."

Sherlock Holmes não viu frustradas suas expectativas. Dois dias depois, recebeu um grosso envelope que continha um breve bilhete do detetive e um documento datilografado que preenchia várias folhas de papel ofício.

— Lestrade o prendeu mesmo — disse Holmes, olhando para mim. — Talvez lhe interesse ouvir o que ele diz.

MEU CARO SR. HOLMES, — de acordo com o esquema que formamos para verificar nossas teorias ("nossas" é muito bom, não acha, Watson?), fui para a Doca Albert ontem, às 18h00, e subi a bordo do SS May Day, de propriedade da Companhia de Vapores de Carga de Liverpool, Dublin e Londres. Perguntando, descobri que havia um taifeiro a bordo de nome James Browner, e que ele agira durante a viagem de maneira tão extraordinária que o capitão viu-se obrigado a dispensá-lo de seus afazeres. Ao descer para a sua cabine, eu o encontrei sentado num baú, com a cabeça afundada nas mãos, balançando o corpo. Ele é um sujeito grande e forte, sem barba, e muito trigueiro — como Aldridge, que nos ajudou no caso da falsa lavanderia. Ele saltou de pé ao saber o que me trazia ali, e levei meu apito aos lábios para chamar dois policiais fluviais que estavam ali perto, mas ele pareceu perder qualquer ímpeto, e estendeu as mãos calmamente para ser algemado. Nós o levamos para a cela, junto com seu baú, pois achamos que poderia haver alguma coisa que o incriminasse; mas, à parte uma grande faca afiada, como a que a maioria dos marujos usa, nosso trabalho não rendeu fruto algum. Todavia, descobrimos que não precisaríamos de mais evidências, pois, ao ser apresentado ao inspetor na chefatura, ele pediu que tomássemos seu depoimento, que foi, naturalmente, transcrito por nosso estenógrafo exatamente como Browner o pronunciou. Mandamos datilografar três cópias, uma das quais anexo. O caso se prova, como sempre achei que fosse, extremamente simples, mas fico agradecido ao senhor por me assistir em minha investigação. Com cordiais cumprimentos, sinceramente. — G. LESTRADE.

— Hum! A investigação realmente foi simples — comentou Holmes —; mas não acho que ele a via como tal quando nos convocou. De todo modo, vejamos o que Jim Browner tem a dizer. Este é o seu depoimento, conforme foi dado ao inspetor Montgomery na chefatura de polícia de Shadwell, e tem a vantagem de ter sido transcrito literalmente.

"Se tenho algo a dizer? Sim, tenho muito a dizer. Preciso me abrir e confessar tudo. Podem me enforcar ou me deixar em paz. Estou me lixando para o que vão fazer. Garanto que não preguei o olho para dormir desde que fiz isso, e acho que nunca mais dormirei, até que não precise mais acordar. Às vezes é o rosto dele, mas em geral é o dela. Nunca fico sem ter um ou o outro diante de mim. Ele me olha de cenho franzido, grave, mas ela tem uma espécie de surpresa no rosto. Sim, pobre ovelha, deve ter ficado surpresa ao ver a morte estampada num rosto que poucas vezes antes a olhou com outra coisa além de amor.

Mas foi culpa de Sarah, e que a maldição de um homem alquebrado possa ressecá-la e fazer seu sangue apodrecer nas veias! Não digo isso para me inocentar. Sei que voltei a beber, como o animal que eu era. Mas ela ter-me-ia perdoado; teríamos continuado unidos como corda e caçamba se aquela mulher jamais tivesse empesteado nosso lar. Pois Sarah Cushing me amava — essa é a raiz do problema —, ela me amou até que todo o seu amor se transformou em ódio peçonhento, quando ela percebeu que eu dava mais valor a uma pegada de minha esposa na lama do que a todo seu corpo e alma.

A AVENTURA DA CAIXA DE PAPELÃO

Eram três irmãs ao todo. A mais velha era apenas uma boa mulher, a segunda, um demônio, e a terceira, um anjo. Sarah tinha 33 anos e Mary, 29, quando nos casamos. Nossa felicidade era do tamanho do dia inteiro quando fomos morar juntos, e em toda a Liverpool não havia esposa melhor do que minha Mary. E então convidamos Sarah a ficar conosco uma semana, e a semana se transformou num mês, e uma coisa puxou outra, até que ela tornou-se parte da família.

Eu era abstêmio na época, estávamos guardando algum dinheiro, e tudo brilhava feito uma moeda nova. Meu Deus, quem imaginaria que chegaríamos a isto? Quem poderia ter imaginado?

Eu costumava estar em casa nos fins de semana com frequência, e às vezes, quando o navio ficava retido com alguma carga, eu tinha uma semana inteira livre, por isso convivia muito com minha cunhada Sarah. Ela era uma mulher alta, morena, esperta e impetuosa, que andava de cabeça erguida, com altivez, e tinha um brilho no olhar como a faísca de uma pederneira. Mas quando a pequena Mary estava presente, eu nem pensava nela, juro pela clemência que espero de Deus.

Parecia-me, às vezes, que Sarah gostava de ficar a sós comigo, ou de me chamar para uma caminhada, mas nunca dei muita atenção a isso. Porém, uma noite, meus olhos se abriram. Quando cheguei do navio, minha esposa havia saído, mas Sarah estava em casa. 'Onde está Mary?', perguntei. 'Oh, ela saiu para pagar algumas contas.' Fiquei impaciente e comecei a andar de um lado para o outro da sala. 'Não consegue ficar feliz por cinco minutos sem Mary, Jim?', ela perguntou. 'É ofensivo, para mim, ver que você não fica contente em minha companhia nem por tão pouco tempo.' 'Tudo bem, minha cara', eu disse, estendendo-lhe a mão de maneira amigável, mas ela a agarrou com as suas num instante, e senti que ardiam como se ela tivesse febre. Olhei-a nos olhos e li tudo neles. Ela não precisava dizer nada, tampouco eu. Franzi a testa e tirei minha mão das suas. Então ela ficou ao meu lado em silêncio por um instante, depois estendeu a mão e me deu um tapinha no ombro. 'O velho e confiável Jim!', ela disse; e com uma risada um tanto zombeteira, saiu correndo da sala.

Bem, desde então, Sarah me odiou com todo o seu coração e sua alma, e ela é uma mulher que sabe odiar também. Fui tolo em permitir que ela continuasse morando conosco — um completo imbecil —, mas nunca disse uma palavra a Mary sobre o que aconteceu, pois eu sabia que ela teria sofrido. As coisas continuaram como antes, mas depois de algum tempo comecei a perceber uma certa mudança na própria Mary. Ela sempre fora tão confiante e inocente, mas agora estava estranha e desconfiada, querendo saber por onde eu andara e o que fizera, de quem eu recebia cartas, o que eu trazia nos bolsos e mil outras loucuras assim. A cada dia ela ficava mais esquisita e irritável, e nós brigávamos sem motivo, a troco de nada. Eu estava bastante intrigado com tudo aquilo.

A AVENTURA DA CAIXA DE PAPELÃO

Sarah me evitava, agora, mas ela e Mary eram inseparáveis. Agora dou-me conta de que ela estava tramando, planejando e envenenando a mente da minha esposa contra mim, mas eu era tão cego que não percebi isso na época. Então rompi meu voto de abstinência e comecei a beber de novo, mas acho que não teria feito isso se Mary fosse a mesma de sempre. Ela passou a ter motivo para sentir asco de mim, e o abismo entre nós começou a aumentar. E aí esse tal de Alec Fairbairn entrou na história, e as coisas ficaram mil vezes mais negras.

Foi para ver Sarah que ele apareceu em casa a primeira vez, mas logo começou a nos visitar a todos, pois era um homem cativante e fazia amizades em todo lugar que ia. Era um camarada audacioso e altivo, inteligente, de cabelo cacheado, que viajara por meio mundo e sabia falar do que vira. Sua companhia era agradável, não nego, e ele tinha modos maravilhosamente finos para um marinheiro, por isso acho que houve uma época em que ele passava mais tempo entre os oficiais do que no castelo de proa. Por um mês, frequentou livremente a minha casa, e nem me passava pela cabeça que seu jeito suave e matreiro pudesse causar algum dano. E então, finalmente, algo me fez suspeitar e, desde esse dia, minha paz acabou para sempre.

E foi algo tão insignificante. Entrei na sala inesperadamente, e já da porta notei um brilho de acolhida no rosto da minha esposa. Mas assim que ela viu que era eu, o brilho se apagou, e ela virou a cabeça, com ar desapontado. Aquilo me bastou. Não havia ninguém, além de Alec Fairbairn, cujos passos ela poderia ter confundido com os meus. Se o visse naquele momento, eu o mataria, pois sempre ajo como um louco quando perco as estribeiras. Mary viu a luz demoníaca em meus olhos e correu para me segurar pela manga. 'Não, Jim, não!', ela disse. 'Onde está Sarah?', perguntei. 'Na cozinha', ela respondeu. 'Sarah', eu disse ao entrar, 'esse tal de Fairbairn não deve pôr os pés aqui nunca mais.' 'Por que não?', ela perguntou. 'Porque eu estou mandando.' 'Oh!', ela exclamou. 'Se meus amigos não são bons o bastante para esta casa, então também não sou boa o bastante para ela.' 'Você pode fazer o que quiser', eu disse, 'mas se Fairbairn der as caras aqui de novo, você vai receber uma das orelhas dele como lembrança.' Ela ficou com medo da minha expressão, acho, pois não disse mais uma palavra, e naquela mesma noite foi embora da minha casa.

Bem, não sei se foi pura maldade da parte dessa mulher, ou se ela achava que poderia me indispor com minha esposa, encorajando-a a se comportar mal. De qualquer forma, ela foi morar numa casa a apenas duas ruas da nossa, e alugava aposentos para marinheiros. Fairbairn costumava se hospedar lá, e Mary ia tomar chá com a irmã e com ele. Com que frequência ela ia, não sei, mas eu a segui um dia, e quando apareci na porta, Fairbairn fugiu pulando o muro do jardim dos fundos, como o gambá covarde que era. Jurei à minha esposa que a mataria se a encontrasse na companhia dele de novo e levei-a de volta comigo, soluçando e tremendo e branca como uma folha de papel. Não havia mais nem sinal de amor entre nós. Eu podia ver que ela me odiava e me temia, e quando, de tanto pensar nisso, eu recorria à bebida, ela me desprezava também.

Sarah se deu conta que não poderia sustentar-se em Liverpool, por isso voltou, pelo que sei, a morar com a outra irmã em Croydon, e as coisas continuaram as mesmas em casa. E então chegou esta última semana, e todo o sofrimento e a ruína.

Aconteceu assim. Tínhamos partido com o *May Day* para uma viagem de ida e volta de sete dias, mas um tambor se soltou e deslocou uma de nossas chapas, de modo que precisamos regressar para o cais por doze horas. Desembarquei e voltei para casa, pensando na surpresa que faria à minha esposa, e esperando que talvez ela ficasse feliz em me ver de volta tão cedo. Esse pensamento estava na minha cabeça na esquina da minha rua, e naquele momento um táxi passou por mim, e lá ia ela, sentada ao lado de Fairbairn, os dois conversando e rindo, sem nem lembrarem que eu existia enquanto os olhava da calçada.

Eu digo, e dou minha palavra, que a partir daquele momento não fui mais dono de mim, e que tudo parece um sonho impreciso quando tento lembrar. Eu andara bebendo muito ultimamente, e as duas coisas juntas viraram minha cabeça. Agora sinto meu crânio latejando, como um martelo num estaleiro, mas naquela manhã eu parecia ter todo o Niágara jorrando e trovejando nos meus ouvidos.

Bem, desabalei a correr atrás do táxi. Levava um pesado bastão de carvalho na mão, e digo que vi sangue desde o início; mas enquanto corria, comecei a planejar também, e fiquei um pouco para trás para observá-los sem ser visto. Eles logo pararam na estação. Havia muita gente ao redor das bilheterias, por isso consegui me aproximar bastante dos dois sem que me vissem. Eles compraram passagens para New Brighton. Também comprei, mas embarquei três vagões atrás daquele em que eles entraram. Quando chegamos, eles andaram pela Parade, e eu nunca fiquei a mais de cem metros de distância. Finalmente, eu os vi alugarem um barco e irem remar, pois o dia estava muito quente, e sem dúvida acharam que na água estaria mais fresco.

Foi como se eles tivessem sido entregues nas minhas mãos. Havia um pouco de névoa, e não se via nada a mais do que algumas centenas de metros. Aluguei um barco também e parti atrás deles. Podia ver o contorno do barco deles, mas estavam indo quase na mesma velocidade que eu, e deviam estar a mais de um quilômetro e meio do porto quando os alcancei. A névoa era como uma cortina ao nosso redor, e lá estávamos os três no meio dela. Meu Deus, será que um dia vou esquecer seus rostos quando viram quem estava no barco que se aproximava? Ela gritou. Ele praguejava feito um louco, e me atacou com um remo, pois deve ter visto a morte nos meus olhos. Eu me esquivei e desferi um golpe com meu bastão que esmagou seu crânio como se fosse um ovo. Eu a teria poupado, talvez, mesmo com toda a minha loucura, mas ela lançou os braços ao redor dele, chorando por ele e chamando-o de 'Alec'. Dei outro golpe e ela caiu deitada ao lado dele. Eu era como uma fera selvagem, então, que tivesse provado sangue. Se Sarah estivesse ali, por Deus, teria o mesmo fim deles. Puxei minha faca e... Bem, aí está! Já falei o suficiente. Deu-me uma espécie de alegria selvagem pensar como Sarah iria se sentir ao receber aqueles sinais do que a sua intromissão havia causado. Amarrei os corpos no barco, quebrei uma tábua do fundo, e fiquei ali até que afundaram. Sabia muito bem que o dono do barco iria pensar que eles haviam perdido a direção na neblina e derivado para o mar aberto. Limpei-me, voltei para a terra e fui para meu navio sem que vivalma suspeitasse do que se passara. Naquela noite, fiz o pacote para Sarah Cushing, e no dia seguinte o enviei de Belfast.

Aí está toda a verdade. Podem me enforcar ou fazer o que quiserem comigo, mas não podem me punir mais do que já fui punido. Não consigo fechar os olhos sem ver aqueles dois rostos me olhando — me olhando como me olharam quando meu barco rompeu a neblina. Eu os matei rapidamente, mas eles estão me matando devagar; e se eu tiver mais uma noite assim, estarei louco ou morto antes do amanhecer. Não vai me pôr numa cela solitária, senhor? Por caridade, não faça isso, e será tratado no dia de sua agonia do modo como me tratar agora."

— Qual o significado disso, Watson? — disse Holmes solenemente ao largar o papel. — Qual o propósito desse círculo de sofrimento, violência e medo? Deve ter algum fim, ou então nosso universo é governado pelo acaso, o que é impensável. Mas que fim? Aí está o grande problema perene e irresolvido, de cuja resposta a razão humana está mais distante do que nunca.

três

A AVENTURA DO CÍRCULO VERMELHO

I

— Bem, Sra. Warren, não acho que tenha qualquer causa particular para inquietação, tampouco entendo por que eu, cujo tempo tem algum valor, deveria interferir na questão. Estou realmente ocupado com outras coisas. — Assim falou Sherlock Holmes, e voltou a se concentrar no grande álbum de recortes no qual estava organizando e catalogando alguns dos seus materiais recentes.

Mas a senhoria tinha a tenacidade, e também a astúcia, próprias do seu sexo. Ela fincou o pé com firmeza.

— O senhor resolveu o problema de um dos meus hóspedes ano passado — ela disse —, o Sr. Fairdale Hobbs.

— Ah, sim; um caso simples.

— Mas ele falava sem parar a respeito disso; da sua bondade, senhor, e do modo como o senhor lançou luz na escuridão. Lembrei-me das palavras dele quando também me vi na dúvida e às escuras. Sei que poderá me ajudar, se quiser.

Holmes era acessível pelo lado da lisonja, e também, justiça lhe seja feita, pelo lado da compaixão. Essas duas forças o fizeram soltar o pincel de goma arábica com um suspiro de resignação e afastar sua cadeira da mesa.

— Bem, bem, Sra. Warren, vamos ouvir, então. Não se incomoda com o fumo, suponho? Obrigado, Watson; os fósforos! Pelo que entendi, está inquieta porque seu novo hóspede permanece em seus aposentos e a senhora não pode vê-lo. Ora, cara Sra. Warren, se eu fosse seu hóspede, iria passar semanas sem me ver.

— Sem dúvida, senhor; mas é diferente. Tenho medo, Sr. Holmes. Não consigo dormir de medo. Ouvir seus passos rápidos indo de um lado para o outro desde a madrugada até a noite alta, mas sem jamais vê-lo nem de relance; é mais do que posso suportar. Meu marido fica tão nervoso quanto eu com isso, mas ele sai para trabalhar o dia todo, enquanto eu jamais tenho descanso. Do que esse homem está se escondendo? O que foi que ele fez? A não ser pela garota, fico sozinha em casa com ele, e meus nervos não aguentam mais.

Holmes inclinou-se para a frente e pôs os dedos longos e magros no ombro da mulher. Ele tinha um poder calmante quase hipnótico, quando queria. A expressão assustada sumiu do olhar dela, e seu semblante agitado abrandou-se, voltando ao normal. Ela se sentou na cadeira que ele indicou.

— Caso eu assuma a investigação, preciso entender cada detalhe — ele disse. — Reflita com calma. O mais ínfimo particular pode ser o mais essencial. A senhora disse que o homem chegou há dez dias e pagou uma estada de duas semanas?

— Ele perguntou minhas condições, senhor. Eu disse que eram cinquenta xelins por semana por uma pequena saleta e um dormitório, tudo completo, no último andar da casa.

— E então?

— Ele disse: "Pago cinco libras por semana, contanto que a senhora aceite minhas condições". Eu sou pobre, senhor, o Sr. Warren ganha pouco, e o dinheiro era importante para mim. Ele puxou uma nota de dez libras e me entregou na hora. "Vai ganhar outra dessas a cada duas semanas por muito tempo se respeitar minhas condições", ele disse. "Caso contrário, não farei mais negócios com a senhora."

— Quais eram as condições dele?

— Bem, senhor, ele queria ter a chave da casa. Isso não era problema. Muitos hóspedes têm uma cópia da chave. Ele também queria ficar totalmente só e jamais, sob pretexto algum, ser incomodado.

— Nada tão mirabolante assim, imagino?

— Dentro do razoável, senhor. Mas isso está longe de ser razoável. Ele está lá há dez dias, e nem o Sr. Warren, nem eu, nem a garota pusemos os olhos nele uma vez que fosse. Ouvimos aqueles passos rápidos dele indo de um lado para o outro, de um lado para o outro, manhã, tarde e noite; mas a não ser naquela primeira noite, ele não saiu de casa uma só vez.

— Ah, então ele saiu na primeira noite?

— Sim, senhor, e voltou muito tarde; depois que estávamos todos deitados. Depois de ser levado aos seus aposentos, ele me avisou que faria isso e pediu que eu não travasse a porta por dentro. Eu o ouvi subindo a escada depois da meia-noite.

— Mas e as refeições dele?

— Suas ordens expressas eram que sempre que ele tocasse a sineta, nós deixássemos sua refeição sobre uma cadeira na frente da porta de seu quarto. Ele toca novamente depois que termina, e recolhemos os pratos vazios da mesma cadeira. Quando ele quer mais alguma coisa, escreve em letra de forma num pedaço de papel e deixa na cadeira.

— Letra de forma?

— Sim, senhor; escreve a lápis, em letra de forma. Só uma palavra, nada mais. Aqui está, trouxe este para lhe mostrar: SABÃO. Aqui está outro: FÓSFORO. Este ele deixou na primeira manhã: DAILY GAZETTE. Deixo esse jornal para ele todo dia com o desjejum.

— Céus, Watson — disse Holmes, olhando com grande curiosidade as tiras de papel almaço que a senhoria havia lhe dado —, isto certamente é um tanto incomum. Reclusão eu consigo entender; mas por que a letra de forma? Escrever em letra de forma é lento e desajeitado. Por que não escrever em letra cursiva? O que isso sugere, Watson?

— Que ele deseja esconder sua caligrafia.

— Mas por quê? Que lhe importa sua senhoria ver sua letra? Todavia, pode ser esse mesmo o motivo. Mas e por que essas mensagens tão lacônicas?

— Isso eu nem imagino.

— Abre um campo agradável para a especulação inteligente. As palavras foram escritas com um lápis violeta de ponta grossa, de um tipo nada incomum. Observe que o papel foi rasgado na lateral, aqui, depois que as letras foram escritas, de modo que o "S" de "SABÃO" está truncado. Sugestivo, não, Watson?

— Sugere cautela?

— Exato. Havia evidentemente alguma marca, alguma impressão digital, algo que poderia dar uma pista da identidade da pessoa. Bem, Sra. Warren, disse que o homem era de estatura mediana, cabelo preto e barba. Que idade ele poderia ter?

— Ele é jovem, senhor; não mais do que 30 anos.

— Bem, não pode me dar mais nenhuma indicação?

— Ele falava bem inglês, senhor, mas achei que fosse estrangeiro, pelo sotaque.

— E estava bem-vestido?

— Elegantemente vestido, senhor; um perfeito cavalheiro. Roupa escura, nada que chamasse a atenção.

— Não disse o nome?

— Não, senhor.

— E não recebeu nenhuma carta, nenhuma visita?

— Nenhuma.

— Mas certamente a senhora ou a garota entram no quarto dele pela manhã?

— Não, senhor; ele mesmo faz toda a arrumação.

— Céus! Isso certamente é notável. E a bagagem dele?

— Uma grande mala marrom; nada mais.

— Bem, parece que não temos muito material para nos ajudar. A senhora disse que nada saiu daquele quarto; absolutamente nada?

A senhoria tirou um envelope da bolsa; virando-o, derramou dois fósforos queimados e um toco de cigarro sobre a mesa.

— Estavam na bandeja dele hoje de manhã. Eu trouxe porque ouvi dizer que o senhor consegue descobrir coisas grandes a partir de coisas pequenas.

Holmes deu de ombros.

— Não há nada aqui — ele disse. — Os fósforos foram, é claro, usados para acender cigarros. Isso é óbvio pelo pouco que a ponta deles foi queimada. É preciso queimar meio fósforo para acender um cachimbo ou charuto. Mas, meu Deus! Este toco de cigarro certamente é notável. O cavalheiro tinha barba e bigode, a senhora disse?

— Sim, senhor.

— Não entendo. Devo dizer que só um homem barbeado poderia ter fumado este. Ora, Watson, até seu modesto bigode ficaria chamuscado.

— Uma piteira? — sugeri.

— Não, não; a ponta está úmida. Suponho que não haja duas pessoas no quarto, Sra. Warren?

— Não, senhor. Ele come tão pouco que às vezes me maravilho que baste para uma só pessoa.

— Bem, acho que precisaremos esperar um pouco mais de material. Afinal, a senhora não tem do que se queixar. Recebeu seu pagamento, e ele não é um hóspede problemático, ainda que certamente seja incomum. Paga muito bem à senhora, e se decidiu se esconder, isso não é diretamente da sua conta. Não teremos nenhum pretexto para uma intrusão na privacidade dele até que haja um motivo para acharmos que existe alguma culpa nisso. Já aceitei o caso e não o perderei de vista. Venha me informar se houver qualquer fato novo e confie em minha assistência, caso ela se faça necessária.

"Certamente há alguns detalhes interessantes nesse caso, Watson", ele comentou, depois que a senhoria foi embora. "Ele pode, claro, ser trivial — uma excentricidade individual; ou pode ser muito mais complexo do que parece superficialmente. A primeira coisa que fica evidente é a óbvia possibilidade de que a pessoa que está agora naqueles aposentos seja totalmente diferente daquela que os reservou."

— Por que você acha isso?

— Bem, à parte este toco de cigarro, não acha sugestivo o fato de que a única vez em que o hóspede saiu tenha sido imediatamente após reservar os aposentos? Ele voltou, ou alguém voltou, depois que todas as testemunhas estavam fora do caminho. Não temos nenhuma prova de que a pessoa que voltou foi a mesma que saiu. Por outro lado, o homem que reservou os quartos falava bem o inglês. Este outro, no entanto, escreve em letra de forma "fósforo", quando deveria escrever "fósforos". Posso imaginar que a palavra tenha sido tirada de um dicionário, que informa só os substantivos, não o seu plural. O estilo lacônico pode ser para ocultar a falta de conhecimento de inglês. Sim, Watson, temos bons motivos para suspeitar que aconteceu uma substituição de hóspedes.

— Mas com que finalidade, meu Deus?

— Ah! Aí está o nosso problema. Há uma linha de investigação um tanto óbvia. — Ele puxou o grande volume no qual, dia após dia, arquivava as seções de desaparecidos dos vários jornais de Londres. — Céus! — ele disse, virando as páginas. — Que coro de gemidos, lamúrias e balidos! Que mixórdia de acontecimentos singulares! Mas certamente é o campo de caça mais valioso que já foi concedido a um estudioso do incomum! Aquela pessoa está sozinha, e não pode ser abordada por carta sem uma quebra do absoluto sigilo que é desejado. Como qualquer notícia ou mensagem de fora pode alcançá-la? Obviamente, por meio de um anúncio de jornal. Parece não haver outro meio, e por sorte só precisamos nos preocupar com um jornal. Aqui estão os recortes da *Daily Gazette* dos últimos 15 dias. "Para a dama de estola preta no Clube de Patinação Prince..." Esse podemos deixar passar. "Decerto que Jimmy não partirá o coração de sua mãe..." Esse parece irrelevante. "Se a dama que desmaiou no ônibus para Brixton..." Ela não me interessa. "Todo dia meu coração anseia..." Balidos, Watson, balidos incessantes! Ah! Este é um pouco mais viável. Ouça: "Seja paciente. Encontrarei algum meio seguro de comunicação. Por enquanto, esta coluna. — G.". Isso é de dois dias depois que o hóspede da Sra. Warren chegou. Parece plausível, não? A pessoa misteriosa entende inglês, ainda que não saiba escrever no idioma. Vamos ver se conseguimos encontrar o rastro de novo. Sim, aqui está, três dias depois. "Fazendo preparativos com sucesso. Paciência e prudência. As nuvens passarão. — G." Nada por uma semana depois disso. Então vem algo muito mais definido: "O caminho está se abrindo. Se eu tiver oportunidade de sinalizar, lembre-se do código que combinamos — um A, dois B, e assim por diante. Logo terá notícias. — G.". Esse saiu no jornal de ontem, e não há nada no de hoje. Tudo isso é muito adequado ao hóspede da Sra. Warren. Se esperarmos um pouco, Watson, não duvido que o caso tornar-se-á mais inteligível.

Assim aconteceu, de fato; pois pela manhã encontrei meu amigo de pé sobre o tapete, de costas para a lareira, com um sorriso de completa satisfação no rosto.

— Que tal, Watson? — ele exclamou, pegando o jornal da mesa. — "Casa vermelha alta com fachada de pedra branca. Terceiro andar. Segunda janela à esquerda. Quando anoitecer. — G." Isso é bastante definido. Acho que, depois do desjejum, precisamos fazer um pequeno reconhecimento da vizinhança da Sra. Warren. Ah, Sra. Warren, que novidades nos traz esta manhã?

Nossa cliente irrompera na sala com uma energia explosiva que denotava algum novo e portentoso desdobramento.

— É um caso de polícia, Sr. Holmes! — ela exclamou. — Não vou mais aceitar! Ele vai sair de lá com a mala na mão. Eu já teria subido lá e dito isso a ele, mas achei que seria mais justo ouvir a opinião do senhor primeiro. Mas minha paciência se esgotou, e isso de espancar o meu velho...

— Espancaram o Sr. Warren?

— Bem, no mínimo o maltrataram.

— Mas quem o maltratou?

— Ah! Isso é o que queremos saber! Foi hoje de manhã, senhor. O Sr. Warren é apontador na Morton and Waylight's, que fica na Tottenham Court Road. Ele precisa sair de casa antes das sete. Bem, esta manhã, ele não havia dado dez passos pela estrada quando dois homens chegaram por trás dele, jogaram um casaco sobre sua cabeça e o empurraram para dentro de uma carruagem que estava parada no meio-fio. Rodaram com ele por uma hora, e então abriram a porta e o jogaram para fora. Ficou deitado na estrada, com os nervos tão abalados que nem sabe o que foi feito da carruagem. Quando se levantou, viu que estava em Hampstead Heath; então tomou um ônibus para casa, e agora está lá, jogado no sofá, enquanto eu vim imediatamente contar ao senhor o que aconteceu.

— Muito interessante — disse Holmes. — Ele observou a aparência desses homens, ouviu-os falando?

— Não; está muito atordoado. Só sabe que foi levantado como que por magia e jogado como que por magia. Eram pelo menos dois homens, talvez três.

— E a senhora associa esse ataque ao seu hóspede?

— Bem, moramos ali há 15 anos e nunca aconteceu uma coisa dessas. Estou farta dele. Dinheiro não é tudo. Vou mandá-lo embora da minha casa antes que o dia acabe.

— Espere um pouco, Sra. Warren. Não faça nada precipitado. Começo a achar que esse caso pode ser muito mais importante do que parecia à primeira vista. Está claro, agora, que algum perigo ameaça o seu hóspede. Está igualmente claro que os inimigos dele, de tocaia esperando por ele perto da sua porta, confundiram seu marido com ele nesta manhã enevoada. Ao descobrirem o erro, eles o soltaram. O que teriam feito se não tivessem errado, só podemos conjecturar.

— Bem, o que devo fazer, Sr. Holmes?

— Tenho muita vontade de ver esse seu hóspede, Sra. Warren.

— Não sei como vai conseguir, a menos que arrombe a porta. Eu sempre o ouço destrancá-la quando estou descendo a escada, depois que deixei a bandeja.

— Ele precisa levar a bandeja para dentro. Certamente poderíamos nos esconder e vê-lo fazer isso.

A senhoria pensou por um momento.

— Bem, senhor, há um quarto de despejo em frente ao dele. Eu poderia posicionar um espelho, talvez, e se os senhores ficarem atrás da porta...

— Excelente! — disse Holmes. — A que horas ele almoça?

— Por volta das 13h00, senhor.

— Então o Dr. Watson e eu chegaremos a tempo. Por enquanto, Sra. Warren, adeus.

Às 12h30, nos encontrávamos nos degraus da casa da Sra. Warren — um edifício alto e fino de tijolos amarelos na Great Orme Street, uma avenida estreita do lado nordeste do Museu Britânico. Por ficar perto da esquina, a casa tem vista para a Howe Street, com suas casas mais pretensiosas. Holmes apontou com uma risadinha para uma delas, uma fachada de apartamentos residenciais, projetados de tal maneira que era inevitável que chamassem a atenção.

— Veja, Watson! — ele disse. — "Casa alta e vermelha com fachada de pedra." É o posto de sinalização, sem dúvida. Conhecemos o lugar e o código; portanto, certamente nossa tarefa será simples. Há uma placa de "Aluga-se" naquela janela. Evidentemente, é um apartamento vazio ao qual o cúmplice tem acesso. Bem, Sra. Warren, e agora?

— Já preparei tudo para os senhores. Subam, deixem as botas ao pé da escada e vou colocá-los ali agora mesmo.

O lugar que ela arranjara era um excelente esconderijo. O espelho estava posicionado de tal forma que, sentados no escuro, podíamos ver muito claramente a porta em frente. Mal havíamos nos acomodado, e a Sra. Warren ido embora, quando um tilintar distante anunciou que nosso misterioso vizinho tocara a sineta. Logo depois, a senhoria apareceu com a bandeja, deixou-a sobre uma cadeira ao lado da porta fechada, e então, com passos pesados, retirou-se. Agachados juntos no canto da porta, mantínhamos os olhos pregados no espelho. De repente, quando os passos da senhoria não mais se ouviam, uma chave rangeu na fechadura, a maçaneta virou, e duas mãos finas saíram e levantaram a bandeja da cadeira. Um instante depois, ela foi recolocada às pressas, e tive um vislumbre de um rosto moreno, lindo e horrorizado fitando a fresta estreita da porta do quarto de despejo. Então a porta se fechou com estrondo, a chave girou mais uma vez, e tudo ficou em silêncio. Holmes puxou minha manga, e juntos nos esgueiramos escada abaixo.

— Voltarei hoje à noite — ele disse para a ansiosa senhoria. — Eu acho, Watson, que podemos discutir melhor esse assunto em nossos aposentos.

— Minha suposição, como você viu, provou estar correta — ele disse, afundado em sua poltrona reclinável. — Houve uma substituição de hóspedes. O que eu não previa era que fôssemos encontrar uma mulher; e não era uma mulher comum, Watson.

— Ela nos viu.

— Bem, viu algo que a alarmou. Isso é certo. A sequência geral dos acontecimentos está bastante clara, não está? Um casal busca em Londres refúgio de um perigo terrível e imediato. A medida desse perigo é dada pelo rigor de suas precauções. O homem, que tem um trabalho a fazer, deseja deixar a mulher em completa segurança enquanto o faz. Não é um problema fácil, mas ele o resolveu de forma original, e tão eficazmente que a presença dela não é conhecida nem pela senhoria que lhe fornece as refeições. As mensagens em letra de forma, está evidente agora, eram para evitar que seu sexo fosse descoberto pela caligrafia. O homem não pode se aproximar da mulher, ou levará seus inimigos até ela. Como não pode se comunicar com ela diretamente, recorre à seção de desaparecidos de um jornal. Até aí, está tudo claro.

— Mas o que há por trás de tudo isso?

— Ah, sim, Watson; severamente prático, como de costume! O que há por trás de tudo? O caprichoso problema da Sra. Warren se expande um pouco e assume um aspecto mais sinistro à medida que avançamos. Isto já podemos dizer: não é uma fuga amorosa qualquer. Você viu a expressão da mulher ao desconfiar do perigo. Também soubemos do ataque ao senhorio, que sem dúvida era dirigido ao hóspede. Esses alarmes, e a necessidade desesperada de sigilo, denotam que a questão é de vida ou morte. O ataque ao Sr. Warren também demonstra que o inimigo, seja quem for, tampouco faz ideia da substituição do hóspede pela hóspede. É muito curioso e complexo, Watson.

— Por que você vai se envolver mais? O que vai ganhar com isto?

— Deveras, o quê? Isto é Arte pela Arte, Watson. Suponho que, depois de formado, você se viu estudando casos sem pensar nos honorários?

— Pela minha educação, Holmes.

— A educação nunca termina, Watson. É uma série de lições, a maior das quais é a última. Este é um caso instrutivo. Não há dinheiro nem crédito nele; no entanto, queremos resolvê-lo. Quando cair a noite, estaremos um passo mais à frente em nossa investigação.

Quando voltamos para a hospedaria da Sra. Warren, as sombras de uma noite londrina de inverno haviam se concentrado numa cortina cinzenta, de uma cor monótona, interrompida apenas pelos amarelos quadrados definidos das janelas e os halos borrados dos lampiões. Enquanto olhávamos da janela da sala às escuras da hospedaria, mais uma luz fraca brilhou no alto através da escuridão.

— Alguém está se movendo naquele quarto — disse Holmes num sussurro, com seu rosto magro e ansioso projetado contra a vidraça. — Sim, estou vendo sua sombra. Lá está ele de novo! Está com uma vela na mão. Agora está olhando. Quer ter certeza de que ela o olha também. Agora ele começou a piscar. Anote a mensagem também, Watson, para que possamos confrontá-las. Um só clarão, isso é "A", com certeza. Agora, então. Quantos você contou? Vinte. Eu também. Isso significa um "T". AT, até aí, está inteligível! Mais um "T". Certamente é o início de uma segunda palavra. Vamos ver, TENTA. Parou completamente. Não pode ser só isso, pode, Watson? "ATTENTA" não faz sentido. Tampouco fica melhor como três palavras, "AT. TEN. TA" (ÀS. DEZ. TA.), a menos que "T. A." sejam as iniciais de uma pessoa. Começou de novo! O que é isso? ATTE... ora, é a mesma mensagem de novo. Curioso, Watson, muito curioso! Agora ele sinaliza mais uma vez! AT... ora, está repetindo pela terceira vez. "ATTENTA" três vezes! Quantas vezes vai repetir? Não, parece que acabou. Ele se afastou da janela. O que você acha disso, Watson?

— É uma mensagem em código, Holmes.

Meu colega deu uma risadinha repentina de compreensão.

— E nem é um código tão obscuro, Watson — ele disse. — Ora, claro, é italiano! O "A" no final significa que a palavra é dirigida a uma mulher. "Atenção! Atenção! Atenção!" Que tal, Watson?

— Acredito que você acertou.

— Sem dúvida. É uma mensagem muito urgente, repetida três vezes para enfatizar. Mas atenção com o quê? Espere um pouco; ele está se aproximando da janela mais uma vez.

Novamente vimos a silhueta indefinida de um homem agachado e o clarão da pequena chama cruzando a janela, emitindo novos sinais. Eram mais rápidos do que antes — tão rápidos que era difícil decifrá-los.

— "PERICOLO", "Pericolo". O que é isso, hein, Watson? Perigo, certo? Sim, por Jove, é um sinal de perigo. Aí está, de novo! "PERI..." Olhe, mas que diabos...?

A luz se apagara de repente, o quadrado brilhante da janela desaparecera, e o terceiro andar formava uma faixa escura ao redor do alto edifício, com suas fileiras de caixilhos reluzentes. Aquele último sinal de alerta havia sido interrompido repentinamente. Como e por quem? A mesma dúvida surgiu num instante nas nossas mentes. Holmes saltou de onde estava agachado, perto da janela.

— Isso é grave, Watson — ele exclamou. — Há algo diabólico em progresso! Por que a mensagem pararia dessa forma? Eu deveria pôr a Scotland Yard a par deste caso; no entanto, é urgente demais para que saiamos daqui.

— Devo ir chamar a polícia?

— Precisamos definir a situação um pouco mais claramente. Pode haver alguma interpretação mais inocente. Venha, Watson, vamos atravessar a rua nós mesmos e ver o que podemos descobrir.

II

Enquanto caminhávamos rapidamente pela Howe Street, olhei para trás, para o prédio de onde tínhamos saído. Ali, em silhueta indefinida na janela do último andar, eu podia ver a sombra de uma cabeça, uma cabeça de mulher, olhando tensa, rígida, para a escuridão da noite, aguardando, com a respiração presa pela expectativa, a renovação daquela mensagem interrompida. Na porta dos apartamentos da Howe Street, um homem, enrolado num cachecol e num casaco, apoiava-se na cerca. Ele se endireitou quando a luz da entrada banhou nossos rostos.

— Holmes! — ele exclamou.

— Ora, Gregson! — disse o meu colega, apertando a mão do detetive da Scotland Yard. — A jornada termina com o encontro dos amantes. O que o traz aqui?

— Os mesmos motivos que o trazem também, imagino — disse Gregson. — Como você ficou a par, não consigo imaginar.

— Fios diferentes, mas que levam ao mesmo emaranhado. Eu estava anotando os sinais.

— Sinais?

— Sim, daquela janela. Foram interrompidos. Viemos ver qual o motivo. Mas já que o caso está seguramente em suas mãos, não vejo por que continuar nele.

— Espere um pouco! — exclamou Gregson, afoito. — Vou lhe fazer justiça, Sr. Holmes, e dizer que jamais estive num caso em que não me sentisse mais forte por ter o senhor ao meu lado. Esta é a única saída dos apartamentos, portanto, ele está em nossas mãos.

— Ele quem?

— Ora, ora, a vitória é nossa dessa vez, Sr. Holmes. Precisa admitir que levamos a melhor. — Ele bateu a bengala com força no chão, ao que um taxista, de chicote na mão, aproximou-se de uma carruagem do outro lado da rua. — Posso lhe apresentar o Sr. Sherlock Holmes? — ele disse ao taxista. — Este é o Sr. Leverton, da Agência Americana Pinkerton's.

— O herói do mistério da Caverna de Long Island? — perguntou Holmes. — Senhor, é um prazer conhecê-lo.

O americano, um jovem discreto e despachado, com um rosto bem barbeado e anguloso, corou com essas palavras elogiosas.

— Estou seguindo o rastro mais importante da minha vida agora, Sr. Holmes — ele disse. — Se eu conseguir pegar Gorgiano...

— O quê?! Gorgiano, do Círculo Vermelho?

— Ah, ele tem fama na Europa, então? Bem, já descobrimos tudo sobre ele nos Estados Unidos. *Sabemos* que ele está por trás de cinquenta assassinatos, no entanto, não temos nada de concreto para condená-lo. Eu o segui desde Nova York, e já estou perto dele em Londres há uma semana, esperando algum pretexto para agarrá-lo pelo colarinho. O Sr. Gregson e eu o localizamos naquele grande prédio de apartamentos, que só tem uma porta, por isso ele não tem como nos escapar. Três pessoas saíram desde que ele entrou, mas juro que nenhuma era ele.

— O Sr. Holmes falou de sinais — disse Gregson. — Imagino, como de costume, que ele saiba muito mais do que nós.

Com palavras claras e escassas, Holmes explicou a situação como ela se nos afigurara. O americano bateu as mãos, constrangido.

— Ele já sabe de nós! — exclamou.

— Por que acha isso?

— Bem, é o que tudo indica, não? Lá está ele, enviando mensagens para uma cúmplice; há várias pessoas de seu bando em Londres. Então, de repente, exatamente quando, como o senhor mesmo disse, ele estava informando que havia perigo, a mensagem se interrompeu. O que isso pode significar, senão que da janela ele nos avistou de repente na rua, ou de alguma forma entendeu quão próximo estava o perigo, e que precisava agir imediatamente para evitá-lo? O que sugere, Sr. Holmes?

— Que subamos imediatamente e verifiquemos.

— Mas não temos nenhum mandado de prisão.

— Ele está num prédio desocupado, em circunstâncias suspeitas — disse Gregson. — Isso basta, no momento. Quando o tivermos agarrado, veremos se Nova York não pode nos ajudar a mantê-lo preso. Eu assumo a responsabilidade de prendê-lo agora.

Nossos detetives oficiais podem deixar a desejar no quesito inteligência, mas jamais na coragem. Gregson subiu a escada para prender aquele assassino desesperado com a mesma atitude absolutamente calma e despachada com que subia os degraus da sede da Scotland Yard. O agente da Pinkerton tentou passar à frente dele, mas Gregson o manteve atrás de si com um gesto firme. Os perigos de Londres são privilégio da força policial londrina.

A porta do apartamento da esquerda, no terceiro andar, estava entreaberta. Gregson terminou de abri-la. Lá dentro, tudo era silêncio e escuridão absoluta. Eu risquei um fósforo e acendi a lanterna do detetive. Quando fiz isso e a chama se tornou constante, todos emitimos uma exclamação de surpresa. Sobre as tábuas de pinho do assoalho sem tapete havia um rastro bem delineado de sangue fresco. As pegadas vermelhas vinham na nossa direção, saindo de um quarto interno, cuja porta estava fechada. Gregson a escancarou e ergueu o brilho da lanterna diante de si, enquanto todos espiávamos ansiosamente por cima de seus ombros.

No meio do assoalho do quarto vazio estava amontoada a figura de um homem imenso, com o rosto bem barbeado e moreno grotescamente distorcido numa expressão horrível, e a cabeça emoldurada num pavoroso halo escarlate de sangue, que se espalhava num grande círculo úmido sobre o piso de madeira branca. Seus joelhos estavam encolhidos, suas mãos, estendidas em agonia, e do meio de seu pescoço grosso e bronzeado, virado para cima, saía o cabo branco de um punhal, cravado até o fim da lâmina em seu corpo. Gigante como ele era, o homem devia ter desabado como uma rês abatida, com aquele terrível golpe. Ao lado de sua mão direita, uma formidável adaga de dois gumes com cabo de chifre jazia no chão, e perto dela, uma luva de camurça preta.

— Pelos céus! É o próprio Black Gorgiano! — exclamou o detetive americano. — Alguém chegou antes de nós, dessa vez.

— Lá está a vela na janela, Sr. Holmes — disse Gregson. — Ora, o que está fazendo?

Holmes atravessara o quarto, acendera a vela e a estava agitando de um lado para o outro diante das vidraças. Então ele espreitou a escuridão, apagou a vela e a jogou no chão.

— Presumo que isso poderá ser útil — ele afirmou. Ele se aproximou e quedou-se profundamente pensativo, enquanto os dois profissionais examinavam o corpo. — O senhor disse que três pessoas saíram do apartamento enquanto esperava lá embaixo — Holmes disse finalmente. — Observou-as com atenção?

— Observei, sim.

— Entre elas havia um sujeito de uns 30 anos, barba preta, moreno, estatura mediana?

— Sim, foi o último a passar por mim.

— Imagino que esse seja o seu homem. Posso dar a descrição dele, e temos uma excelente pegada do seu pé. Isso deve bastar.

— Não é muito, Sr. Holmes, entre os milhões de Londres.

— Talvez não. Foi por isso que achei melhor convocar esta dama em seu auxílio.

A AVENTURA DO CÍRCULO VERMELHO

Todos nos viramos quando ele disse isso. Ali, parada na porta, estava uma mulher alta e linda — a misteriosa hóspede de Bloomsbury. Ela avançou lentamente, seu rosto pálido marcado por uma pavorosa apreensão, os olhos imóveis e arregalados, fitando com expressão aterrorizada o corpo escuro no chão.

— Vocês o mataram! — ela balbuciou. — Oh, *Dio mio*, vocês o mataram! — Então eu a ouvi inspirar de súbito, e ela saltou com um grito de alegria. Dançava dando voltas no quarto, batendo palmas, com os olhos escuros brilhando em deleitada surpresa e mil lindas exclamações italianas saindo-lhe dos lábios. Era terrível e intrigante ver aquela mulher possuída pela alegria diante de uma cena assim. De repente, ela parou e nos encarou a todos com uma pergunta no olhar.

— Mas vocês! São da polícia, não são? Mataram Giuseppe Gorgiano. Não foi assim?

— Somos da polícia, madame.

Ela olhou ao seu redor na penumbra do quarto.

— Mas onde, então, está Gennaro? — ela perguntou. — Gennaro Lucca é meu marido. Sou Emilia Lucca, e viemos de Nova York. Onde está Gennaro? Ele me chamou agora mesmo desta janela, e eu corri o mais que pude.

— Fui eu que a chamei — disse Holmes.

— O senhor! Como poderia me chamar?

— Seu código não era difícil, madame. Sua presença aqui era desejada. Eu sabia que bastaria piscar a palavra *"Vieni"*, e a senhora certamente viria.

A linda italiana olhou com assombro para o meu colega.

— Não entendo como sabe essas coisas — ela disse. — Giuseppe Gorgiano... como ele... — Ela se interrompeu, e de repente seu rosto se iluminou de orgulho e deleite. — Agora entendi! Meu Gennaro! Meu esplêndido, lindo Gennaro, que me protege de todo o mal, foi ele, com sua mão forte, que matou o monstro! Oh, Gennaro, como você é maravilhoso! Que mulher poderia merecer um homem assim?

— Bem, Sra. Lucca — disse o prosaico Gregson, pondo a mão no braço da mulher com tão pouco sentimento quanto se estivesse prendendo um arruaceiro de Notting Hill —, ainda não sei ao certo quem ou o que a senhora é; mas já falou o suficiente para deixar bem claro que vai nos acompanhar até a Scotland Yard.

— Um momento, Gregson — disse Holmes. — Tenho a impressão de que a madame pode estar tão ansiosa para fornecer informações quanto nós para obtê-las. A senhora entende que seu marido será preso e julgado pela morte do homem que está diante de nós? O que a senhora disser poderá ser usado como prova. Mas se acha que ele agiu por motivos que não são criminosos, e que ele gostaria que fossem revelados, então a melhor forma de ajudá-lo é contar toda a história.

— Agora que Gorgiano está morto, não tememos mais nada — disse a mulher. — Ele era um demônio e um monstro, e nenhum juiz do mundo puniria meu marido por tê-lo matado.

— Nesse caso — disse Holmes —, sugiro que tranquemos esta porta, deixando tudo como encontramos, sigamos esta senhora até o seu quarto e formemos nossa opinião depois de ouvir o que ela tem a nos dizer.

Meia hora depois, estávamos sentados, os quatro, na pequena saleta da *signora* Lucca, ouvindo sua memorável narrativa daqueles acontecimentos sinistros, cujo final o acaso nos permitira testemunhar. Ela falava num inglês rápido e fluente, mas bem longe do convencional, do qual, em nome da clareza, corrigirei a gramática.

— Nasci em Posillipo, perto de Nápoles — ela disse —, e sou filha de Augusto Barelli, principal advogado e ex-chefe de polícia daquela região. Gennaro trabalhava para o meu pai, e eu me apaixonei por ele, como aconteceria com qualquer mulher. Ele não tinha dinheiro nem posição; nada além de sua beleza, força e energia, por isso meu pai proibiu a união. Fugimos, casamo-nos em Bari, e vendemos minhas joias para obter o dinheiro que nos levaria para a América. Isso foi há quatro anos, e moramos em Nova York desde então.

"A sorte nos sorriu, de início. Gennaro teve a oportunidade de prestar um serviço a um cavalheiro italiano — salvou-o de alguns arruaceiros no lugar chamado de Bowery, e assim fez um amigo poderoso. Seu nome era Tito Castalotte, e ele era sócio majoritário da grande empresa de Castalotte e Zamba, os maiores importadores de fruta de Nova York. O *signor*

Zamba é inválido, e nosso novo amigo, Castalotte, detinha todo o poder na empresa, que tem mais de trezentos funcionários. Ele deu um emprego ao meu marido, nomeou-o chefe de um departamento, e demonstrou boa vontade com ele de todas as formas. O *signor* Castalotte era solteiro, e acredito que ele via Gennaro como seu filho, e tanto meu marido quanto eu o amávamos como se fosse nosso pai. Havíamos ocupado e mobiliado uma casinha no Brooklyn, e nosso futuro parecia garantido, quando aquela nuvem negra apareceu e logo tomou conta do nosso céu.

Uma noite, ao voltar do trabalho, Gennaro trouxe com ele um conterrâneo. Seu nome era Gorgiano, e ele também era de Posillipo. Era um sujeito grandalhão, como os senhores podem atestar, pois viram o cadáver dele. Não apenas seu corpo era o de um gigante, mas tudo nele era grotesco, imenso e aterrorizador. Sua voz era como um trovão em nossa casinha. Mal havia espaço para o movimento dos seus grandes braços, quando ele falava. Seus pensamentos, suas emoções, suas paixões, tudo era exagerado e monstruoso. Ele falava, ou melhor, rugia, com tanta energia que os outros só podiam ficar ouvindo, encolhidos diante do poderoso rio de palavras. Seus olhos faiscavam para nós e nos punham à sua mercê. Ele era um homem terrível e impressionante. Dou graças a Deus por ele estar morto!

Ele voltou várias vezes. No entanto, eu tinha consciência de que Gennaro não ficava mais feliz do que eu na presença dele. Meu pobre marido permanecia ali, pálido e desanimado, ouvindo as intermináveis diatribes sobre política e questões sociais que constituíam a conversação de nosso visitante. Gennaro não dizia nada, mas eu, que o conhecia tão bem, podia ler em seu rosto alguma emoção que jamais vira ali antes. De início pensei que fosse antipatia. E então, gradualmente, compreendi que era mais do que antipatia. Era medo — um medo profundo, secreto, ancilosante. Naquela noite — a noite em que percebi seu terror — coloquei meus braços ao seu redor e implorei, em nome do amor que sentia por mim e de tudo que lhe era caro, que não me escondesse nada, e me contasse por que aquele homenzarrão tanto o oprimia.

Ele me contou, e meu coração tornou-se frio como gelo enquanto eu ouvia. Meu pobre Gennaro, em seus dias violentos e passionais, quando todo mundo parecia estar contra ele e as injustiças da vida quase o levavam à loucura, aderira a uma sociedade napolitana, o Círculo Vermelho, que era aliada dos antigos Carbonários. Os juramentos e segredos dessa irmandade eram assustadores, mas uma vez sob seu domínio, não havia mais escapatória possível. Quando fugimos para a América, Gennaro pensou ter-se livrado de tudo isso. Qual foi seu horror, uma noite, ao encontrar pela rua o próprio homem que o iniciara em Nápoles, o gigante Gorgiano, que merecera o apelido de "Morte" no sul da Itália, pois estava sujo até os cotovelos do sangue de suas vítimas! Ele se encontrava em Nova York para fugir da polícia italiana, e já instalara uma filial daquela sociedade medonha em seu novo lar. Tudo isso Gennaro me contou, e mostrou uma convocação que recebera naquele mesmo dia, com um Círculo Vermelho desenhado no cabeçalho, comunicando que uma reunião da loja aconteceria numa certa data e que sua presença era requisitada e exigida.

Isso já era ruim, mas o pior estava por vir. Eu já notava havia algum tempo que quando Gorgiano nos visitava, como fazia em várias noites, falava muito comigo, e até quando suas palavras eram dirigidas ao meu marido, aqueles olhos terríveis, fixos, de fera selvagem estavam sempre voltados para mim. Uma noite, seu segredo foi revelado. Eu despertara nele o que ele chamava de "amor" — o amor de um bruto, um selvagem. Gennaro ainda não havia voltado quando ele chegou. Forçou a entrada, tomou-me em seus braços fortes, apertou-me em seu abraço de urso, cobriu-me de beijos e implorou que eu fosse embora com ele. Eu estava lutando e gritando quando Gennaro entrou e o atacou. Ele deixou Gennaro inconsciente com um golpe e fugiu da casa na qual nunca mais entraria. Fizemos um inimigo mortal naquela noite.

Alguns dias depois, aconteceu a reunião. Gennaro voltou dela com uma expressão que me revelava que algo pavoroso havia ocorrido. Era ainda pior do que achávamos possível. Os recursos da sociedade eram angariados por meio de chantagem a italianos ricos e ameaças de violência caso se recusassem a pagar. Ao que parecia, Castalotte, nosso querido amigo e benfeitor, havia sido abordado. Ele se recusara a ceder às ameaças e entregara os avisos à polícia. Resolveu-se, então, que dele deveria ser feito um exemplo que evitasse que outras vítimas viessem a se rebelar. Na reunião, combinou-se que ele e sua casa seriam destruídos com dinamite. Todos tiraram a sorte para ver quem executaria a ação. Ao enfiar a mão no saco, Gennaro viu o rosto cruel do nosso inimigo sorrindo para ele. Sem dúvida o sorteio havia sido manipulado de alguma forma, pois foi o disco fatal com o Círculo Vermelho, a ordem do assassinato, que apareceu em sua mão. Ele deveria matar seu melhor amigo, ou expor-nos-ia à vingança de seus camaradas. Parte desse sistema hediondo era punir aqueles que a sociedade temia ou odiava ferindo não só as próprias pessoas, mas os seus entes queridos, e a ciência disso era um terror que pairava sobre a cabeça do meu pobre Gennaro e o deixava quase louco de preocupação.

Aquela noite toda ficamos acordados juntos, abraçados, um dando forças ao outro para enfrentar as atribulações que nos esperavam. A noite seguinte havia sido escolhida para a ação. Ao meio-dia, meu marido e eu já estávamos a caminho de Londres, mas não sem antes deixar nosso benfeitor totalmente a par do perigo, e também informar à polícia, para que protegesse a vida dele no futuro.

O resto, cavalheiros, os senhores já sabem. Tínhamos certeza de que nossos inimigos seguir-nos-iam como sombras. Gorgiano tinha seus próprios motivos para querer vingança, mas em todo caso, sabíamos como ele era impiedoso, astuto e incansável. A Itália e a América estão cheias de histórias de seus poderes terríveis. E jamais eles seriam exercidos como agora. Meu amado usou os poucos dias livres que tínhamos de vantagem para providenciar um refúgio para mim, de tal forma que nenhum perigo pudesse me alcançar. De sua parte, ele queria ficar livre para poder se comunicar com as polícias americana e italiana. Nem eu mesma sei onde ele mora ou como está. Tudo o que eu sabia, li em anúncios num jornal. Mas uma vez, ao olhar pela minha janela, vi dois italianos vigiando a casa, e compreendi que de alguma forma Gorgiano descobrira o nosso esconderijo. Finalmente, Gennaro me disse, pelos anúncios, que faria sinais para mim de uma certa janela, mas quando esses sinais vieram, eram apenas avisos que foram interrompidos de repente. Agora está bastante claro que ele sabia que Gorgiano estava se aproximando, e graças a Deus, Gennaro estava pronto quando ele chegou. E agora, cavalheiros, eu pergunto se temos algo a temer da justiça, ou se algum juiz no mundo condenaria o meu Gennaro pelo que ele fez."

— Bem, Sr. Gregson — disse o americano, olhando para o oficial —, não sei qual seria o ponto de vista britânico, mas acho que em Nova York o marido dessa dama receberá um voto geral de agradecimento.

— Ela terá que vir comigo e falar com o chefe — Gregson respondeu. — Se o que ela contou for confirmado, acho que nem ela, nem o marido terão muito a temer. Mas o que não consigo entender mesmo, Sr. Holmes, é como *o senhor* se viu envolvido nessa questão.

— Educação, Gregson, educação. Continuo buscando conhecimento na velha universidade. Bem, Watson, você tem aí mais um espécime trágico e grotesco para acrescer à sua coleção. A propósito, ainda não são 20h00, e hoje é noite de Wagner em Covent Garden! Se nos apressarmos, talvez cheguemos a tempo para o segundo ato.

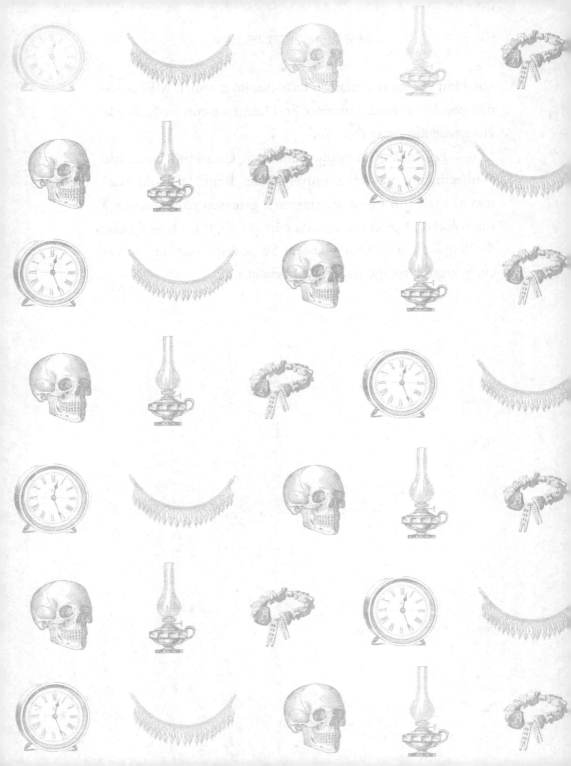

quatro

A AVENTURA DOS PLANOS DO BRUCE-PARTINGTON

Na terceira semana de novembro, no ano de 1895, uma espessa neblina amarela desceu sobre Londres. De segunda a quinta-feira, duvido que tenha sido possível em algum momento, de nossas janelas na Baker Street, divisar a forma das casas em frente. O primeiro dia Holmes passou organizando notas cruzadas em seu volumoso livro de referência. O segundo e o terceiro foram pacientemente ocupados com um assunto que recentemente se tornara seu passatempo — a música da Idade Média. Mas quando, pela quarta vez, ao afastarmos nossas cadeiras da mesa do desjejum, vimos os sebosos e pesados vapores marrons ainda rodopiando ao nosso redor e condensando-se em pingos oleosos nas vidraças, a natureza impaciente e ativa do meu camarada não pôde mais suportar aquela esquálida existência. Ele começou a andar sem descanso de um lado para o outro em nossa sala de estar, numa febre de energia reprimida, roendo as unhas, tamborilando os dedos na mobília e irritando-se com a falta de ação.

— Nada de interessante no jornal, Watson? — ele perguntou.

Eu tinha consciência de que com "nada de interessante" Holmes queria dizer, nada de criminalmente interessante. Havia a notícia de uma revolução, uma possível guerra, e uma mudança iminente de governo; mas essas coisas não figuravam no horizonte do meu colega. Eu não conseguia achar nada relatado como crime que não fosse corriqueiro e fútil. Holmes gemeu e voltou à sua infatigável perambulação.

— O criminoso londrino é certamente um sujeito sem graça — disse ele, na voz queixosa do desportista que perdeu um jogo. — Olhe por essa janela, Watson. Veja como as figuras surgem, são vistas indistintamente, e mais uma vez se fundem no banco de nuvens. Um ladrão ou um assassino poderia vagar por Londres num dia assim como o tigre na selva, invisível até atacar, e então tornar-se evidente apenas para a sua vítima.

— De fato — eu disse —, houve numerosos pequenos furtos.

Holmes grunhiu com desprezo.

— Esse palco enorme e sombrio está pronto para algo mais digno — ele disse. — A sorte desta comunidade é que eu não sou um criminoso.

— Deveras! — eu disse com veemência.

— Suponha que eu fosse Brooks ou Woodhouse, ou qualquer outro dos cinquenta homens que têm bons motivos para tirar minha vida; quanto tempo eu conseguiria sobreviver, se fosse perseguido por mim? Um convite, um falso encontro, e tudo estaria acabado. Ainda bem que não há dias de neblina nos países latinos; os países do assassinato. Por Jove! Aí vem algo, finalmente, para interromper nossa mortal monotonia.

Era a criada com um telegrama. Holmes o abriu e prorrompeu numa risada.

— Ora, ora! O que mais falta acontecer? — ele disse. — O mano Mycroft está vindo.

— Por que ele não viria? — perguntei.

— Por que não viria? É como encontrar um bonde descendo uma estradinha rural. Mycroft tem seus trilhos e roda sobre eles. Seus aposentos em Pall Mall, o Clube Diógenes, Whitehall, esse é o seu circuito. Uma vez, e somente uma vez, ele esteve aqui. Que agitação poderia tê-lo feito descarrilar?

— Ele não explicou?

Holmes me entregou o telegrama do irmão.

"Preciso falar com você sobre Cadogan West. Irei imediatamente. MYCROFT."

— Cadogan West? Já ouvi esse nome.

— Não me vem nada à mente. Mas Mycroft quebrar sua rotina de forma tão errática! Seria como um planeta abandonar sua órbita. A propósito, você sabe o que Mycroft faz?

Eu tinha a vaga lembrança de uma explicação dada na época da Aventura do Intérprete Grego.

— Você me disse que ele tinha algum pequeno cargo no governo britânico.

Holmes deu uma risadinha.

— Eu não conhecia você tão bem naquela época. É preciso ser discreto ao falar de assuntos importantes de Estado. Você está certo em pensar que ele trabalha para o governo britânico. Também estaria certo, de certa forma, se dissesse que ocasionalmente ele *é* o governo britânico.

— Meu caro Holmes!

— Imaginei que isso o surpreenderia. Mycroft ganha 450 libras por ano, continua sendo um subalterno, não tem qualquer ambição, recusa honrarias ou títulos; mesmo assim, é o homem mais indispensável do país.

— Mas como?

— Bem, seu cargo é único. Ele mesmo o criou. Nunca houve nada parecido antes, nem haverá depois. Ele tem o cérebro mais claro e organizado, com a maior capacidade para armazenar fatos, do que qualquer pessoa viva. Os mesmos grandes poderes que eu direcionei para a detecção de crimes, ele usa nessa ocupação em particular. As conclusões de cada departamento lhe são encaminhadas, e ele é a central de câmbio, o departamento de compensação, que equilibra o saldo. Todos os outros são especialistas, mas a especialidade dele é a onisciência. Suponhamos que um ministro precise de informações sobre uma questão envolvendo a Marinha, a Índia, o Canadá e a questão bimetálica; ele poderia obter assessorias individuais de vários departamentos sobre cada item, mas somente Mycroft pode enfocá-los todos, e dizer imediatamente como cada fator afeta os demais. Começaram por usá-lo como um atalho, uma conveniência; agora ele tornou-se essencial. Naquele seu grande cérebro, tudo está catalogado, e pode ser entregue num instante. Muitas e muitas vezes, seu veredicto decidiu a política nacional. Ele vive nela. Não pensa em mais nada, a não ser quando, como exercício intelectual, atende a um chamado meu pedindo conselhos sobre um dos meus probleminhas. Mas Júpiter está descendo à Terra hoje. O que isso pode significar? Quem é Cadogan West e qual sua relação com Mycroft?

— Já sei — exclamei, e comecei a remexer a pilha de jornais sobre o sofá. — Sim, sim, aqui está, com certeza! Cadogan West é o jovem que foi encontrado morto no metrô na manhã de terça.

Holmes se empertigou, com o cachimbo a caminho dos lábios.

— Deve ser um caso grave, Watson. Uma morte que faz meu irmão alterar seus hábitos não pode ser comum. O que será que ele tem a ver com isso? Lembro que o caso não tinha nada de especial. O jovem aparentemente caiu do trem e se matou. Não foi roubado, e não havia nenhum motivo específico para suspeitar de violência. Não foi assim?

— Houve um inquérito — eu respondi —, e muitos fatos novos foram divulgados. Examinado com mais atenção, eu certamente diria que é um caso curioso.

— Julgando pelo efeito que teve sobre o meu irmão, imagino que seja dos mais extraordinários. — Ele voltou a se refestelar em sua poltrona. — Bem, Watson, apresente os fatos.

— O nome do homem era Arthur Cadogan West. Tinha 27 anos, era solteiro, e trabalhava no Arsenal de Woolwich.

— Um funcionário do governo. Aí está a ligação com o mano Mycroft!

— Ele saiu repentinamente de Woolwich na noite de segunda. Foi visto pela última vez por sua noiva, a Srta. Violet Westbury, que ele abandonou abruptamente na neblina por volta das 19h30 daquela noite. Não houve nenhum tipo de altercação entre os dois, e ela não sabe dizer o que motivou essa ação. Só se soube dele novamente quando seu cadáver foi descoberto por um assentador de trilhos chamado Mason, perto da Estação Aldgate do sistema de metrô de Londres.

— Quando?

— O corpo foi encontrado às 6h00 de terça-feira. Estava a uma certa distância dos trilhos, do lado esquerdo de quem vai para o leste, num lugar perto da estação, onde a linha emerge do túnel por onde corre. Sua cabeça estava horrivelmente esmagada, um ferimento que pode muito bem ter sido causado pela queda do trem. O corpo só poderia ter chegado àquele lugar dessa maneira. Se tivesse sido carregado de qualquer uma das ruas próximas, teria que passar pelas barreiras da estação, onde um bilheteiro está sempre a postos. Esse detalhe parece absolutamente garantido.

— Muito bem. O caso está bastante definido. O homem, vivo ou morto, caiu ou foi jogado de um trem. Até aí está claro para mim. Continue.

— Os trens que passam pelos trilhos ao lado dos quais o corpo foi encontrado são os que correm no sentido oeste-leste, alguns puramente metropolitanos, outros vindo de Willesden e de junções externas. Pode-se dar como certo que esse jovem, ao encontrar a morte, estava viajando nessa direção durante a madrugada, mas onde embarcou no trem, é impossível determinar.

— Sua passagem, é claro, revelaria isso.

— Ele não tinha uma passagem nos bolsos.

— Nenhuma passagem! Céus, Watson, isso é mesmo muito singular. De acordo com minha experiência, não é possível chegar à plataforma de um trem metropolitano sem exibir a passagem. Presumivelmente, portanto, o jovem tinha uma. Ela foi retirada para ocultar a estação de onde ele vinha? É possível. Ou ele a perdeu no vagão? Também é possível. Mas esse detalhe é curioso e interessante. Pelo que sei, não havia indícios de roubo.

— Aparentemente, não. Aqui há uma lista de seus pertences. Sua bolsa continha duas libras e 15 *pence*. Ele também tinha um talão de cheques da agência de Woolwich do Banco

Capital and Counties. Foi por meio desse talão que sua identidade foi determinada. Também havia dois ingressos na primeira fila do Teatro Woolwich, para aquela mesma noite. E um pequeno maço de documentos técnicos.

Holmes emitiu uma exclamação de satisfação.

— Aí está, finalmente, Watson! Governo britânico, Arsenal de Woolwich, documentos técnicos, mano Mycroft, a sequência está completa. Mas aí vem ele, se não me engano, para falar por si mesmo.

Um momento depois, a silhueta alta e robusta de Mycroft Holmes entrava na sala. Pesado e corpulento, havia uma sugestão de desengonçada inércia física em sua figura, mas aquela compleição volumosa era encimada por uma cabeça cuja testa era tão imperiosa, cujos olhos cinzentos e fundos eram tão alertas, cujos lábios eram tão firmes, e cujas expressões eram tão sutis, que depois do primeiro olhar, o corpanzil era esquecido e só aquela mente dominante era lembrada.

Aos seus calcanhares vinha nosso velho amigo Lestrade, da Scotland Yard — magro e austero. A seriedade do rosto dos dois antecipava alguma missão de peso. O detetive apertou-lhes as mãos sem uma palavra. Mycroft Holmes tirou o sobretudo com dificuldade e acomodou-se numa poltrona.

— Um caso dos mais aborrecidos, Sherlock — ele disse. — Tenho extrema repulsa a alterar meus hábitos, mas os poderes supremos não aceitariam uma negativa. Com a atual situação no Sião, é deveras inconveniente que eu me afaste do escritório. Mas é uma crise real. Jamais vi o primeiro-ministro tão nervoso. Quanto ao almirantado, está zumbindo como uma colmeia derrubada. Você leu sobre o caso?

— Acabamos de fazê-lo. Que documentos técnicos eram aqueles?

— Ah, eis a questão! Felizmente isso não veio a público. A imprensa estaria em polvorosa, caso viesse. Os documentos que o jovem infeliz tinha no bolso eram os planos do submarino Bruce-Partington.

Mycroft Holmes falou com uma solenidade que demonstrava a importância que dava ao assunto. Seu irmão e eu nos mantivemos na expectativa.

— Certamente já ouviram falar dele? Pensei que todos já tivessem ouvido falar dele.

— Só o nome.

— Não há como exagerar sua importância. É o mais zelosamente guardado dos segredos do governo. Dou minha palavra de que um ataque naval se torna impossível no raio de operação de um Bruce-Partington. Dois anos atrás, uma quantia mui vultosa foi escamoteada do orçamento e investida na aquisição do monopólio dessa invenção. Todos os esforços foram feitos para guardar segredo. Os planos, que são incrivelmente complexos, abrangendo cerca de trinta patentes distintas, cada uma essencial para o funcionamento do todo, são mantidos num sofisticado cofre num escritório confidencial contíguo ao Arsenal, com portas e janelas à prova de arrombamentos. Absolutamente em circunstância alguma os planos deveriam ser retirados do escritório. Quando o engenheiro-chefe da Marinha desejava consultá-los, mesmo ele era obrigado a ir até o escritório de Woolwich para fazê-lo. No entanto, eis que os encontramos nos bolsos de um funcionário morto de baixo escalão, no centro de Londres. Do ponto de vista oficial, isso é simplesmente abominável.

— Mas vocês os recuperaram?

— Não, Sherlock, não! Isso é o pior. Não recuperamos. Dez documentos foram retirados de Woolwich. Havia sete nos bolsos de Cadogan West. Os três mais importantes se foram, roubados, desaparecidos. Você precisa parar tudo o que estiver fazendo, Sherlock. Esqueça seus dilemas policiais insignificantes. É um problema internacional de primeira ordem que você precisa resolver. Por que Cadogan West levou os documentos, onde estão os que sumiram, como ele morreu, como o cadáver dele chegou ao local onde foi encontrado, como esse mal pode ser remediado? Encontre respostas para todas essas perguntas e você terá feito um bom serviço ao seu país.

— Por que você mesmo não resolve, Mycroft? Sua visão é tão boa quanto a minha.

— Possivelmente, Sherlock. Mas é uma questão de obter detalhes. Dê-me seus detalhes, e de uma poltrona devolver-lhe-ei uma excelente opinião especializada. Mas correr para cá e para lá, interrogar guardas ferroviários, deitar de bruços segurando uma lupa não é o meu *métier*. Não, você é o único que pode esclarecer essa questão. Se seu desejo é ver seu nome na próxima lista de honrarias...

Meu amigo sorriu e balançou a cabeça.

— Eu jogo apenas por amor ao próprio jogo — ele disse. — Mas o problema certamente apresenta alguns detalhes interessantes, e ficarei muito feliz em examiná-lo. Mais alguns fatos, por favor.

— Anotei os mais essenciais nesta folha de papel, junto com alguns endereços que vai achar úteis. O verdadeiro guardião oficial dos documentos é o famoso especialista do governo, Sir James Walter, cujas condecorações e títulos secundários preencheriam duas linhas de um volume de referência. Ele envelheceu em serviço, é um cavalheiro, convidado ilustre nas casas mais nobres, e sobretudo um homem cujo patriotismo está acima de qualquer suspeita. É um dos dois que tinham a chave do cofre. Posso acrescentar que os documentos, sem dúvida, estavam no escritório no horário comercial na segunda-feira, e que Sir James partiu para Londres por volta das 15h00, levando consigo sua chave. Ele estava na casa do almirante Sinclair, na Barclay Square, durante toda a noite em que o incidente aconteceu.

— Esse fato foi comprovado?

— Sim; seu irmão, o coronel Valentine Walter, testemunhou sua partida de Woolwich, e o almirante Sinclair, sua chegada a Londres; portanto, Sir James não é mais um fator direto no problema.

— Quem era o outro homem que tinha a chave?

— O chefe e principal desenhista do escritório, Sr. Sidney Johnson. Tem 40 anos, é casado, tem cinco filhos. É um homem silencioso e lento, mas tem, de maneira geral, um excelente passado no serviço público. É pouco popular entre os colegas, mas é esforçado. De acordo com seu próprio depoimento, corroborado apenas pela palavra de sua esposa, ele passou em casa toda a noite de segunda-feira após o fechamento do escritório, e sua chave não saiu da corrente de seu relógio, à qual está presa.

— Fale-nos de Cadogan West.

— Estava no serviço havia dez anos e fazia um bom trabalho. Tinha a reputação de ser pavio curto e impetuoso, mas é um homem direito e honesto. Não temos nada contra ele. Sentava ao lado de Sidney Johnson no escritório. Suas tarefas o punham em contato diário e pessoal com os planos. Ninguém mais os manuseava.

— Quem trancou os planos naquela noite?

— O Sr. Sidney Johnson, chefe do escritório.

— Bem, com certeza está perfeitamente claro quem os tirou de lá. Na verdade, foram encontrados nos bolsos desse funcionário de baixo escalão, Cadogan West. Isso parece definitivo, não?

— Parece, Sherlock, e no entanto deixa tantas coisas sem explicação. Em primeiro lugar, por que ele os pegou?

— Presumo que tivessem valor?

— Ele poderia tê-los vendido muito facilmente por milhares de libras.

— Consegue pensar em qualquer motivo possível para levar os documentos para Londres, a não ser para vendê-los?

— Não, não consigo.

— Então devemos adotar isso como nossa hipótese provisória. O jovem West pegou os documentos. Bem, isso só poderia ser feito com uma chave falsa...

— Várias chaves falsas. Ele precisava abrir o prédio e a sala.

— Ele tinha, então, várias chaves falsas. Levou os documentos para Londres para vender o segredo, pretendendo, sem dúvida, devolver os planos originais ao cofre na manhã seguinte, antes que alguém notasse sua falta. Enquanto estava em Londres cumprindo essa missão traiçoeira, ele encontrou seu fim.

— Como?

— Vamos supor que ele estivesse regressando para Woolwich quando foi morto e jogado para fora da cabine.

— Aldgate, onde o corpo foi encontrado, fica consideravelmente depois da estação próxima à Ponte de Londres, que seria sua rota para Woolwich.

— Muitas circunstâncias podem ser imaginadas sob as quais ele iria além da Ponte de Londres. Havia alguém no vagão, por exemplo, com quem ele estava absorto em conversação. Essa conversação levou a uma situação violenta, na qual ele perdeu a vida. Possivelmente, ele tentou sair do vagão, caiu sobre os trilhos, e esse foi o seu fim. O outro fechou a porta. Havia uma neblina espessa, e nada pôde ser visto.

— Nenhuma explicação melhor pode ser dada com nossos presentes conhecimentos; no entanto considere, Sherlock, quantas coisas você deixou de abordar. Vamos supor, em nome da argumentação, que o jovem Cadogan West *estivesse* determinado a levar esses documentos para Londres. Naturalmente, ele teria marcado um encontro com o agente estrangeiro e reservado a noite para isso. Pelo contrário, ele tinha duas entradas para o teatro, acompanhou sua noiva até a metade do caminho, e então desapareceu de repente.

— Um disfarce — disse Lestrade, que ouvia a conversa com alguma impaciência.

— Um disfarce muito singular. Essa é a objeção número 1. Objeção número 2: vamos supor que ele chegou a Londres e se encontrou com o agente estrangeiro. Ele precisa devolver os documentos antes de amanhecer, ou seu extravio será descoberto. Ele pegou dez documentos. Somente sete estavam no seu bolso. O que aconteceu com os outros três? Certamente ele não os entregaria de livre e espontânea vontade. Por outro lado, onde está o fruto de sua traição? Era de se esperar que fosse encontrada uma grande quantia em seus bolsos.

— Para mim, tudo parece perfeitamente claro — disse Lestrade. — Não tenho dúvida alguma quanto ao que aconteceu. Ele pegou os documentos para vendê-los. Encontrou o agente. Eles não conseguiram se entender a respeito do preço. Ele tomou o caminho de volta para casa, mas o agente o acompanhou. No trem, o agente o assassinou, pegou os documentos mais importantes e jogou seu corpo do vagão. Isso explica tudo, não?

— Por que ele não tinha uma passagem?

— A passagem revelaria qual a estação mais próxima da casa do agente. Portanto, ele a tirou do bolso da vítima.

— Bom, Lestrade, muito bom — disse Holmes. — Sua teoria é robusta. Mas se isso for verdade, então o caso acabou. Por um lado, o traidor está morto. Por outro, os planos do submarino Bruce-Partington já estão presumivelmente no continente. O que nos resta fazer?

— Agir, Sherlock; agir! — exclamou Mycroft, saltando de pé. — Todos os meus instintos vão de encontro a essa explicação. Use seus poderes! Vá até o local do crime! Visite as pessoas envolvidas! Não deixe pedra sobre pedra! Em toda a sua carreira, você nunca teve uma oportunidade maior de servir ao seu país.

— Muito bem! — disse Holmes, dando de ombros. — Venha, Watson! E você, Lestrade, poderia favorecer-nos com sua companhia por uma ou duas horas? Vamos começar nossa investigação com uma visita à Estação Aldgate. Adeus, Mycroft. Farei um relatório antes do anoitecer, mas aviso desde já que não deve esperar muita coisa.

Uma hora depois, Holmes, Lestrade e eu estávamos sobre os trilhos do metrô, no local onde ele sai do túnel, imediatamente antes da Estação Aldgate. Um velho cavalheiro cortês, de rosto vermelho, representava a companhia ferroviária.

— Foi aqui que encontraram o corpo do jovem — ele disse, indicando um lugar a cerca de um metro dos trilhos. — Não poderia ter caído de cima, pois as paredes, como podem ver, são nuas. Portanto, só pode ter vindo de um trem, e esse trem, até onde pudemos determinar, deve ter passado por volta da meia-noite de segunda-feira.

— Os vagões foram examinados em busca de algum sinal de violência?

— Não havia nenhum sinal, e nenhuma passagem foi achada.

— Nenhum registro de alguma porta encontrada aberta?

— Nenhum.

— Recebemos algumas novas evidências hoje de manhã — disse Lestrade. — Um passageiro que passava por Aldgate num trem metropolitano comum por volta das 23h40 de segunda declara que ouviu um baque pesado, como o de um corpo batendo na linha, pouco antes que o trem chegasse à estação. Havia uma neblina densa, porém, nada pôde ser visto. Ele não relatou o fato na época. Ora, o que deu no Sr. Holmes?

Meu amigo estava com uma expressão de intensidade tensa no rosto, observando os trilhos no lugar onde se curvavam para fora do túnel. Aldgate é uma junção, e havia ali uma rede de entroncamentos. Seus olhos ansiosos e inquisidores estavam fixados neles, e vi em seu rosto sôfrego e alerta aquele estreitamento dos lábios, aquele tremor das narinas e concentração das grossas sobrancelhas que eu conhecia tão bem.

— Entroncamentos — ele resmungou —, os entroncamentos.

— O que têm eles? O que quer dizer?

— Suponho que não haja um grande número de entroncamentos num sistema como este.

— Não; são muito poucos.

— E uma curva também. Entroncamentos e uma curva. Por Jove! Se apenas fosse assim.

— O que foi, Sr. Holmes? Encontrou uma pista?

— Uma ideia, uma indicação, nada mais. Mas o caso certamente se torna mais interessante. Único, perfeitamente único, no entanto, por que não? Não vejo qualquer indicação de sangue nos trilhos.

— Mal havia manchas.

— Mas, pelo que sei, o ferimento era considerável.

— O osso estava esmagado, mas não havia muitos ferimentos superficiais.

— Todavia, era de se esperar algum sangramento. Seria possível inspecionarmos o trem que levava o passageiro que ouviu o baque da queda na neblina?

— Temo que não, Sr. Holmes. Aquela composição já foi dividida, e seus vagões, redistribuídos.

— Posso garantir, Sr. Holmes — disse Lestrade —, que cada vagão foi cuidadosamente examinado. Eu mesmo providenciei isso.

Uma das fraquezas mais óbvias do meu amigo era sua impaciência com inteligências menos alertas do que a sua.

— Muito provável — ele disse, dando-lhe as costas. — Acontece que não eram os vagões que eu desejava examinar. Watson, já fizemos tudo o que podíamos aqui. Não precisamos incomodá-lo mais, Sr. Lestrade. Acho que nossas investigações devem agora nos levar para Woolwich.

Da Ponte de Londres, Holmes escreveu um telegrama ao irmão, que ele me mostrou antes de enviar. Dizia o seguinte:

```
Vejo alguma luz na escuridão, mas é
possível que se apague. Enquanto isso,
por favor, envie por mensageiro para
Baker Street, para aguardar meu regresso,
lista completa dos espiões estrangeiros
ou agentes internacionais conhecidos na
Inglaterra, com endereços completos.
    Sherlock
```

— Isso deve ajudar, Watson — ele comentou, quando nos sentávamos no trem para Woolwich. — Certamente estamos em dívida com o mano Mycroft, por ter-nos apresentado o que promete ser um caso realmente notável.

Seu rosto afoito ainda trazia aquela expressão de energia intensa e contida, a qual me revelava que alguma circunstância nova e sugestiva inaugurara uma estimulante linha de raciocínio. Contemple-se o cão de caça com orelhas pendentes e cauda caída, perambulando pelos canis, e compare-se isso ao mesmo cão quando, com olhos brilhantes e músculos retesados, ele fareja um rastro à altura do seu nariz — tal era a mudança em Holmes desde aquela manhã. Era um homem diferente da figura flácida e ociosa, com seu robe cinza-rato, que vagava incessantemente, poucas horas antes, pelos aposentos envoltos na neblina.

— Há material aqui. Há âmbito — ele disse. — Fui muito lerdo por não ter entendido as possibilidades.

— Mesmo agora, elas continuam obscuras para mim.

— A conclusão também me é obscura, mas ocorreu-me uma ideia que pode nos levar longe. O homem foi morto em outro lugar e seu corpo estava no *teto* de um vagão.

— No teto!

— Notável, não? Mas considere os fatos. Foi coincidência ele ter sido encontrado exatamente no ponto em que o trem sacoleja e balança ao passar pelos entroncamentos? Não é esse o lugar onde se espera que um objeto colocado no teto caia? Os entroncamentos não afetariam um objeto dentro do trem. Ou o corpo caiu do teto, ou uma coincidência muito curiosa aconteceu. Mas agora pondere a questão do sangue. Naturalmente, não haveria sangue nos trilhos se o corpo tivesse sangrado em outro lugar. Cada fato, por si só, é sugestivo. Juntos, eles têm uma força cumulativa.

— E a passagem também! — exclamei.

— Exatamente. Não conseguimos explicar a ausência da passagem. Isso explicaria. Tudo se encaixa.

— Mas, supondo que tenha sido assim, ainda estamos mais longe do que nunca de desvendar o mistério de sua morte. Aliás, ele não se torna mais simples, e sim mais estranho.

— Talvez — disse Holmes, pensativo —; talvez. — Ele voltou aos seus devaneios silenciosos, que duraram até que o vagaroso trem finalmente entrasse na Estação de Woolwich. Ali, ele chamou um táxi e tirou a folha de Mycroft do bolso.

— Temos uma série e tanto de visitas a fazer esta tarde — ele disse. — Acho que Sir James Walter requer primeiro nossa atenção.

A casa do famoso oficial era uma bela mansão com gramados verdes que se estendiam até o Tâmisa. Quando chegamos, a neblina estava se dissipando, e um sol fraco e aguado começava a despontar. Um mordomo atendeu quando tocamos a campainha.

— Sir James, senhor! — ele disse, com uma expressão solene. — Sir James morreu esta manhã.

— Pelos céus! — exclamou Holmes, assombrado. — Como ele morreu?

— Talvez o senhor queira entrar e falar com o irmão dele, o coronel Valentine?

— Sim, é melhor.

Fomos introduzidos a uma sala pouco iluminada, onde, um instante depois, um senhor muito alto, de barba loura, de uns

50 anos, o irmão mais novo do cientista morto, veio ao nosso encontro. Seu olhar inquieto, face úmida e cabelo desgrenhado indicavam o golpe repentino que atingira aquela casa. Ele mal conseguia articular as palavras ao falar do ocorrido.

— Foi esse horrível escândalo — ele disse. — Meu irmão, Sir James, era um homem muito sensível em questões de honra, e não poderia sobreviver a um caso desses. Partiu seu coração. Ele sempre se orgulhou tanto da eficiência do seu departamento, e esse foi um golpe terrível.

— Esperávamos que ele pudesse nos dar alguma indicação que nos ajudasse a esclarecer o assunto.

— Garanto que tudo era tão misterioso para ele quanto para os senhores e para todos os nós. Ele já havia posto todos os seus conhecimentos à disposição da polícia. Naturalmente, ele não tinha dúvidas de que Cadogan West fora o culpado. Mas todo o resto era inconcebível.

— O senhor não pode lançar nenhuma luz nova sobre o caso?

— Eu mesmo não sei de nada, a não ser o que li ou ouvi. Não desejo ser descortês, mas pode entender, Sr. Holmes, que estamos muito abalados no momento, e devo pedir que apresse o final desta visita.

— De fato, esse foi um desdobramento inesperado — disse meu amigo, quando voltamos para o táxi. — Eu me pergunto se a morte foi natural ou se o pobre sujeito se matou! Neste caso, isso poderia ser interpretado como algum sinal de autopunição pelo dever negligenciado? Precisamos deixar essa questão para o futuro. Agora, voltaremos nossa atenção para os Cadogan West.

Uma casa pequena mas bem mantida nos arredores da cidade abrigava a desolada mãe do rapaz. A velha senhora estava atordoada demais pelo sofrimento para nos dar qualquer ajuda, mas ao seu lado estava uma jovem pálida, que se apresentou como a Srta. Violet Westbury, noiva do falecido, e a última a vê-lo vivo naquela noite fatal.

— Não consigo explicar, Sr. Holmes — ela disse. — Não preguei olho desde a tragédia, pensando, pensando, pensando, dia e noite, em qual pode ser o verdadeiro significado de tudo isso. Arthur era o homem mais determinado, cavalheiresco e patriótico do mundo. Deceparia sua mão direita antes de vender um segredo de Estado que lhe tivesse sido confiado. Isso é absurdo, impossível, ultrajante para qualquer um que o conhecia.

— Mas e os fatos, Srta. Westbury?

— Sim, sim; admito que não consigo explicá-los.

— Ele estava em alguma dificuldade financeira?

— Não; suas necessidades eram simples, e o seu salário, suficiente. Ele economizara algumas centenas de libras, e íamos nos casar no Ano-Novo.

— Nenhum sinal de agitação mental? Vamos, Srta. Westbury, seja absolutamente franca conosco.

O olhar arguto do meu colega havia notado alguma alteração na atitude dela. A moça corou e hesitou.

— Sim — ela disse finalmente. — Eu sentia que ele tinha algo em mente.

— Havia muito tempo?

— Somente na última semana, mais ou menos. Andava pensativo e preocupado. Uma vez, eu o pressionei. Ele admitiu que estava acontecendo alguma coisa, e que estava apreensivo em sua vida profissional. "É grave demais para que eu possa contar, mesmo a você", ele disse. Não pude saber de mais nada.

Holmes ficou muito sério.

— Vamos, Srta. Westbury. Ainda que pareça depor contra ele, continue. Não podemos prever ao que isso vai levar.

— Na verdade, não tenho mais nada a dizer. Uma ou duas vezes, pareceu-me que ele estava a ponto de me contar alguma coisa. Uma noite, falou da importância do segredo, e tenho alguma lembrança de ele ter dito que sem dúvida espiões estrangeiros pagariam muito bem para tê-lo.

O rosto do meu amigo ficou mais sério ainda.

— Mais alguma coisa?

— Ele disse que éramos relapsos em questões assim, que seria fácil para um traidor roubar os planos.

— Foi recentemente que ele fez tais comentários?

— Sim, bem recentemente.

— Agora fale-nos daquela última noite.

— Estávamos indo para o teatro. A neblina estava tão densa que era impossível ir de táxi. Fomos a pé, e nosso caminho passava perto do escritório. De repente, ele saiu correndo em meio à neblina.

— Sem dizer uma palavra?

— Ele emitiu uma exclamação; foi só isso. Esperei, mas ele não apareceu mais. Então voltei a pé para casa. Na manhã seguinte, depois que o escritório abriu, vieram me perguntar dele. Por volta do meio-dia, recebemos a terrível notícia. Oh, Sr. Holmes, se o senhor pudesse apenas salvar sua honra! Significava tanto para ele.

Holmes balançou a cabeça tristemente.

— Venha, Watson — ele disse —, nosso caminho é outro. Nossa próxima parada será o escritório de onde os documentos foram roubados.

"A situação desse jovem já era bastante negra, mas nossas investigações a deixaram mais negra ainda", ele comentou, quando o táxi partiu sacolejando. "Seu matrimônio iminente dá um motivo para o crime. Naturalmente, ele precisava de dinheiro. A ideia estava em sua mente, já que ele a mencionou. Quase transformou a moça em cúmplice da traição, contando-lhe seus planos. É tudo muito ruim."

— Mas com certeza, Holmes, o caráter tem algum peso. Por outro lado, por que ele abandonaria a garota na rua e sairia correndo para cometer um crime?

— Exato! Certamente há objeções. Mas elas estão enfrentando um caso formidável.

O Sr. Sidney Johnson, o funcionário mais graduado, nos encontrou no escritório e nos recebeu com o respeito que o cartão de visitas do meu colega sempre motivava. Era um homem magro, de óculos e modos bruscos, de meia-idade, com o rosto abatido e as mãos trêmulas pela tensão nervosa a que estava sendo submetido.

— É grave, Sr. Holmes, muito grave! Já ficou sabendo da morte do chefe?

— Estamos vindo da casa dele.

— O lugar está desorganizado. O chefe morto, Cadogan West morto, nossos documentos roubados. No entanto, quando fechamos as portas na noite de segunda, éramos um dos mais eficientes escritórios a serviço do governo. Bom Deus, é horripilante pensar nisso! Logo West, entre todos, fazer uma coisa dessas!

— Tem certeza da culpa dele, então?

— Não vejo outra explicação possível. No entanto, eu confiava nele como confio em mim mesmo.

— A que horas o escritório fechou na segunda?

— Às 17h00.

— O senhor o fechou?

— Sou sempre o último a sair.

— Onde estavam os planos?

— Naquele cofre. Eu mesmo os guardei ali.

— O prédio não tem um vigia?

— Tem; mas ele precisa vigiar outros departamentos também. É um velho soldado, totalmente de confiança. Não viu nada naquela noite. Claro que a neblina estava muito espessa.

— Suponhamos que Cadogan West quisesse entrar no prédio depois do expediente; para chegar aos documentos, ele precisaria de três chaves, certo?

— Sim, precisaria. A chave da porta da rua, a chave do escritório e a chave do cofre.

— Somente Sir James Walter e o senhor tinham essas chaves?

— Eu não tinha as chaves das portas, somente a do cofre.

— Sir James era um homem de hábitos organizados?

— Sim, acho que era. Sobre essas três chaves, sei que ele as levava no mesmo chaveiro. Eu as vi muitas vezes.

— E esse chaveiro o acompanhou para Londres?

— Ele disse que sim.

— E o senhor nunca se separou da sua chave do cofre?

— Nunca.

— Então West, se foi ele o culpado, devia ter uma cópia. No entanto, ela não foi encontrada com o corpo. Outro detalhe: se um funcionário deste escritório desejasse vender os planos, não seria mais simples fazer uma cópia deles, em vez de levar os originais, como foi feito?

— Seria necessário um conhecimento técnico considerável para copiar os planos de maneira eficaz.

— Mas suponho que Sir James, o senhor ou West tinham esse conhecimento técnico.

— Sem dúvida tínhamos, mas rogo que não tente me envolver no caso, Sr. Holmes. De que adianta especular dessa forma, quando os planos originais foram encontrados com West, na verdade?

— Bem, certamente é singular ele ter-se arriscado a levar os originais, quando poderia tê-los copiado aqui em segurança, e as cópias serviriam igualmente ao seu propósito.

— Singular, sem dúvida; no entanto, foi o que ele fez.

— Cada investigação deste caso revela algo inexplicável. Agora há três documentos desaparecidos. Eles são, pelo que entendi, os mais cruciais.

— Sim, é verdade.

— Quer dizer que alguém que tivesse esses três documentos, sem ter os outros sete, poderia construir um submarino Bruce-Partington?

— Foi o que relatei ao almirantado. Mas hoje examinei novamente os diagramas, e já não tenho tanta certeza. As válvulas duplas, com os encaixes autoajustáveis automáticos, são descritas num dos documentos que foram encontrados. Enquanto os estrangeiros não inventarem essas válvulas por conta própria, não poderão fazer o submarino. Naturalmente, pode ser que logo eles contornem essa dificuldade.

— Mas os três documentos desaparecidos são os mais importantes?

— Sem dúvida alguma.

— Com sua permissão, acho que agora vou perambular pelo recinto. Não me ocorre mais nenhuma pergunta que eu gostaria de fazer.

Ele examinou a fechadura do cofre, a porta da sala e finalmente as folhas de ferro da janela. Foi só quando estávamos no gramado, do lado de fora, que seu interesse ficou fortemente empolgado. Havia um loureiro diante da janela, e vários galhos traziam marcas de terem sido torcidos ou quebrados. Ele os examinou cuidadosamente com sua lupa, e depois, algumas marcas vagas e indistintas no solo ao redor. Finalmente, pediu que o chefe do departamento fechasse as folhas de ferro da janela, e me fez notar que elas não se juntavam no meio, e que seria possível, para alguém do lado de fora, ver o que acontecia dentro da sala.

— As indicações estão arruinadas pela demora de três dias. Podem significar alguma coisa ou nada. Bem, Watson, acho que Woolwich não pode nos ajudar mais. Nossa colheita foi bem magra. Vamos ver se conseguimos sair-nos melhor em Londres.

No entanto, juntamos mais um ramo à nossa colheita antes de partirmos da Estação de Woolwich. O funcionário da bilheteria foi capaz de dizer com certeza que vira Cadogan West — que ele conhecia bem de vista — na noite de segunda, e que ele fora para Londres com o trem das 20h15 para a Ponte de Londres. Ele estava sozinho e comprou uma única passagem de terceira classe. O funcionário ficou surpreso, naquele momento, por sua atitude agitada e nervosa. Tão trêmulo estava ele que mal conseguia recolher seu troco, e o funcionário o ajudou nisso. Uma consulta à tabela de horários demonstrou que o trem das 20h15 era o primeiro que West poderia tomar depois de deixar a noiva, por volta das 19h30.

— Vamos reconstituir, Watson — disse Holmes, depois de meia hora de silêncio. — Não me lembro, em todas as pesquisas que fizemos juntos, de termos lidado com um caso mais difícil de se abordar. Cada novo avanço que fazemos só revela um novo desfiladeiro mais além. No entanto, certamente fizemos um progresso apreciável.

A maior parte do resultado de nossas investigações em Woolwich depôs contra o jovem Cadogan West; mas as indicações na janela prestam-se a uma hipótese mais favorável. Suponhamos, por exemplo, que ele tenha sido abordado por algum agente estrangeiro. Isso pode ter sido feito sob promessas que tê-lo-iam impedido de falar do assunto, afetando no entanto seus pensamentos da maneira que os comentários feitos à sua noiva indicam. Muito bem. Agora vamos supor que, a caminho do teatro com a jovem, ele tenha de repente, na neblina, vislumbrado esse mesmo agente dirigindo-se para o seu escritório. West era um homem impetuoso, rápido em suas decisões. Tudo deu lugar ao seu dever. Ele seguiu o homem, aproximou-se da janela, viu o furto dos documentos e perseguiu o ladrão. Dessa forma, superamos a objeção de que ninguém levaria os originais quando podia fazer cópias. Esse forasteiro precisava levar os originais. Até aí, a teoria funciona."

— Qual o próximo passo?

— Agora chegamos às dificuldades. Seria de se imaginar que, em tais circunstâncias, o primeiro ato do jovem Cadogan West fosse agarrar o vilão e dar o alarme. Por que ele não fez isso? Será que foi algum superior dele que levou os documentos? Isso explicaria a conduta de West. Ou será que o ladrão despistou West na neblina, e este foi imediatamente para Londres, confrontá-lo em seus aposentos, presumindo que soubesse onde ficavam esses aposentos? O chamado deve ter sido muito premente, já que ele deixou sua garota de pé na neblina, e não fez nenhum esforço para comunicar-se com ela. Aí nossos rastros desaparecem, e há uma vasta lacuna entre cada uma dessas hipóteses e a colocação do corpo de West, com sete documentos no bolso, no teto de um trem metropolitano. Meu instinto, agora, é trabalhar na outra extremidade. Se Mycroft nos deu a lista de endereços, talvez consigamos descobrir nosso homem e seguir dois rastros em vez de um só.

De fato, um bilhete nos esperava na Baker Street. Um mensageiro do governo o trouxera com urgência. Holmes o olhou de relance e jogou-o para mim.

A arraia-miúda é numerosa, mas poucos envolver--se-iam num negócio de tais dimensões. Os únicos que vale a pena considerar são: Adolph Meyer, da Great George Street, 13, Westminster; Louis La Rothiere, de Campden Mansions, Notting Hill; e Hugo Oberstein, Caulfield Gardens, 13, Kensington. Sabe-se que este último estava na cidade na segunda-feira, e agora informaram que ele partiu. Fico feliz em saber que você encontrou alguma luz. O Gabinete aguarda seu relatório final com a mais profunda ansiedade. Representações urgentes chegaram do escalão mais elevado. Todo o poder do Estado está à sua disposição, caso precise.

Mycroft

— Temo — disse Holmes, sorrindo — que todos os cavalos e todos os homens da rainha de nada nos valerão neste caso. — Ele havia desdobrado seu grande mapa de Londres, e curvou-se ansiosamente sobre ele. — Bem, bem — disse finalmente, com uma exclamação de satisfação —, as coisas estão mudando um pouco em nosso favor, afinal. Ora, Watson, acredito sinceramente que vamos conseguir, no fim das contas. — Ele me deu um tapa no ombro, com um rompante repentino de hilaridade. — Vou sair, agora. É só um reconhecimento. Não farei nada sério sem meu fiel camarada e biógrafo ao meu lado. Fique aqui, e provavelmente ver-me-á de novo em uma ou duas horas. Se o tempo custar a passar, pegue almaço e uma pena e comece sua narrativa de como salvamos o Estado.

Senti um pouco de sua euforia refletindo-se em minha mente, pois eu bem sabia que ele não abandonaria tanto a costumeira austeridade do seu semblante a menos que houvesse um bom motivo para exultar. Esperei todo aquele longo anoitecer de novembro, cheio de impaciência, por sua volta. Por fim, pouco depois das 21h00, chegou um mensageiro com um bilhete:

> *Estou jantando no Restaurante Goldini's, Gloucester Road, Kensington. Por favor, venha imediatamente e encontre-me aqui. Traga um pé de cabra, uma lanterna escura, um cinzel e um revólver.*
> S. H.

Era um belo equipamento para ser levado por um cidadão respeitável pelas ruas escuras e enevoadas. Guardei todos os itens discretamente em meu sobretudo e peguei uma carruagem direto para o endereço do bilhete. Lá estava o meu amigo, sentado a uma mesinha redonda, perto da porta do espalhafatoso restaurante italiano.

— Você já comeu? Então tome comigo um café com licor *curacao*. Prove um dos charutos da casa. São menos venenosos do que seria de se esperar. Trouxe as ferramentas?

— Estão aqui, no meu sobretudo.

— Excelente. Deixe-me apresentar um breve esboço do que fiz, com algumas indicações do que vamos fazer a seguir. Agora já deve ser evidente para você, Watson, que o corpo desse jovem foi *colocado* no teto do trem. Isso ficou claro desde que determinei o fato de que foi do teto, e não de um vagão, que ele caiu.

— Ele não poderia ter sido jogado de uma ponte?

— Devo dizer que é impossível. Se você examinar os tetos, verá que eles são levemente arredondados, e não há nenhum tipo de friso ao redor deles. Portanto, podemos afirmar com certeza que o jovem Cadogan West foi colocado sobre o trem.

— Como ele pode ter sido colocado ali?

— Essa era a questão a que precisávamos responder. Existe somente uma maneira possível. Você sabe que o metrô corre fora dos túneis em alguns lugares do West End. Eu tinha uma vaga lembrança de ter visto ocasionalmente, ao viajar nele, janelas acima da minha cabeça. Bem, suponha que um trem pare sob uma dessas janelas; haveria alguma dificuldade em colocar um corpo sobre o teto?

— Parece assaz improvável.

— Precisamos nos valer do velho axioma que diz que quando todas as outras contingências falham, o que resta, por mais improvável que seja, deve ser a verdade. Neste caso, *todas* as outras contingências falharam. Quando descobri que o principal agente internacional, que acabara de partir de Londres, morava numa fileira de casas debruçadas sobre o metrô, fiquei tão deleitado que você demonstrou certo assombro com minha repentina frivolidade.

— Ah, então foi isso?

— Sim, foi isso. O Sr. Hugo Oberstein, de Caulfield Gardens, 13, tornou-se o meu objetivo. Comecei minhas operações na Estação de Gloucester Road, onde um oficial muito prestativo percorreu os trilhos comigo e permitiu-me verificar não só que as janelas de trás de Caulfield Gardens dão para a ferrovia, mas o fato ainda mais essencial de que, por causa da intersecção de uma das linhas principais, os trens do metrô muitas vezes são mantidos imóveis por alguns minutos naquele lugar.

— Esplêndido, Holmes! Você resolveu o caso!

— Até agora; até agora, Watson. Avançamos, mas a meta está distante. Bem, depois de ver os fundos de Caulfield Gardens, visitei a frente e constatei que o pássaro havia de fato voado de seu ninho. É uma casa considerável, sem mobília, até onde pude verificar, nos andares mais altos. Oberstein morava ali com um único pajem, que provavelmente era um comparsa totalmente de sua confiança. Precisamos ter em mente que Oberstein foi para o continente vender o seu tesouro, mas não pensando numa fuga; pois ele não tinha motivos para temer um mandado de prisão, e a ideia de uma visita domiciliar de detetives amadores jamais ter-lhe-ia ocorrido. No entanto, é exatamente isso que vamos fazer agora.

— Não podemos providenciar um mandado e legalizar a visita?

— Não com tão poucas provas.

— O que esperamos conseguir?

— Não sabemos que correspondências pode haver ali.

A AVENTURA DOS PLANOS DO BRUCE-PARTINGTON

— Não gosto disso, Holmes.

— Caro colega, você vigiará a rua. Eu farei a parte criminosa. Não é hora de nos preocuparmos com insignificâncias. Pense no bilhete de Mycroft, no almirantado, no Gabinete, na poderosa pessoa que aguarda notícias. Nosso dever é entrar.

Minha resposta foi levantar-me da mesa.

— Você está certo, Holmes. Nosso dever é entrar.

Ele se levantou e apertou minha mão.

— Eu sabia que você não se omitiria no final — ele disse, e por um momento notei algo em seus olhos, mais próximo da ternura do que qualquer coisa que já vira neles. No instante seguinte, ele voltou à sua personalidade dominadora e pragmática.

— Fica a quase oitocentos metros, mas não temos pressa. Vamos caminhar — ele disse. — Não deixe cair os instrumentos, eu imploro. Sua prisão por atitude suspeita seria uma complicação das mais infelizes.

Caulfield Gardens era uma daquelas fileiras de casas de fachada plana, com pilastras e varandas, que são produtos tão conspícuos da época vitoriana média no West End. Na casa ao lado, parecia estar acontecendo uma festa de crianças, pois o burburinho feliz de vozes jovens e o martelar de um piano ressoavam pela noite. A neblina continuava ao nosso redor e nos ocultava com sua sombra amigável. Holmes acendera sua lanterna, e a apontou para a imensa porta.

— Este é um desafio sério — ele disse. — Certamente está trancada e aferrolhada. É melhor tentarmos pelo pátio.

Há um excelente arco lá embaixo, caso um policial zeloso demais resolva nos atrapalhar. Dê-me uma mão, Watson, e depois ajudarei você.

Um minuto depois, ambos estávamos no pátio. Mal havíamos chegado às sombras do arco quando os passos de um policial se fizeram ouvir na neblina acima de nós. Quando seu ritmo suave esmoreceu, Holmes voltou a trabalhar na porta inferior. Eu o vi agachar-se e fazer força até que, com um estrondo agudo, a porta cedeu. Passamos por ela para o corredor escuro, fechando-a atrás de nós. Holmes tomou a dianteira pela escada curva de degraus nus. O pequeno leque de luz amarela em sua mão iluminou uma janela baixa.

— Aqui estamos, Watson; deve ser esta. — Ele a escancarou, e naquele momento começou um murmúrio grave e ruidoso, que rapidamente aumentou para um rugido alto quando um trem passou por nós na escuridão. Holmes correu a luz da lanterna pela sacada. Ela estava coberta por uma grossa camada de fuligem da passagem das locomotivas, mas a superfície negra tinha marcas e arranhões em alguns lugares.

— Veja onde eles apoiaram o corpo. Oh, Watson! O que é isto? Não resta dúvida de que é uma marca de sangue. — Ele estava apontando para tênues manchas desbotadas no caixilho da janela. — Ali, também, nas pedras da escada. A demonstração está completa. Vamos ficar aqui até um trem parar.

Não precisamos esperar muito. O trem seguinte rugiu ao sair do túnel como antes, mas diminuiu a velocidade ao ar

A AVENTURA DOS PLANOS DO BRUCE-PARTINGTON

livre, e então, com um rangido dos freios, parou imediatamente abaixo de nós. Havia pouco mais de um metro entre a sacada da janela e o teto dos vagões. Holmes fechou a janela devagar.

— Até aqui, está tudo confirmado — ele disse. — O que acha disso, Watson?

— Uma obra-prima. Você nunca ascendeu tanto como agora.

— Nisso não posso concordar com você. Desde o momento em que tive a ideia do corpo estar no teto, que certamente não era tão abstrusa, todo o resto foi inevitável. Se não fosse pelos poderosos interesses envolvidos, o caso, até este ponto, seria insignificante. Nossas dificuldades continuam. Mas talvez possamos encontrar algo aqui que nos ajude.

Havíamos subido a escada da cozinha e entrado nos aposentos do primeiro andar. Um era uma sala de jantar, com mobília severa e nada que interessasse. O segundo era um dormitório que também nada revelou. O último cômodo parecia mais promissor, e meu colega entregou-se a um exame sistemático. Estava cheio de livros e papéis espalhados, e era evidentemente usado como escritório. Veloz e metodicamente, Holmes derramava o conteúdo de gaveta após gaveta e armário após armário, mas o brilho do êxito não aclarava seu semblante austero. Ao fim de uma hora, ele não havia avançado mais do que no início.

— O cão astuto apagou seus rastros — ele disse. — Não deixou nada que o incriminasse. Sua correspondência perigosa foi destruída ou retirada. Esta é a nossa última chance.

Era uma pequena caixa de lata que estava sobre a escrivaninha. Holmes a abriu com seu cinzel. Vários rolos de papel estavam dentro, cheios de cifras e cálculos, sem nenhuma anotação que revelasse ao que se referiam. As palavras recorrentes "Pressão da água" e "Pressão por polegada quadrada" sugeriam alguma possível relação com um submarino. Holmes largou os papéis com impaciência. Só restava um envelope contendo pequenos recortes de jornal. Ele os derramou sobre a mesa, e imediatamente vi, pelo seu rosto ansioso, que suas esperanças haviam voltado.

— O que é isto, Watson? Hein? O que é isto? Uma coleção de mensagens publicadas nos anúncios classificados de um jornal. Pelo tipo e papel, é a seção de desaparecidos do *Daily Telegraph*. Canto superior direito de uma página. Nenhuma data; mas as mensagens se organizam sozinhas. Esta deve ser a primeira:

'Esperava ter notícias antes. Concordo com as condições. Escreva por completo para o endereço do cartão. — Pierrô.'

— Eis a próxima: 'Complexo demais para descrever. Necessito relatório completo. Material à sua espera quando entregar bens. — Pierrô'.

— Em seguida vem: 'Assunto urgente. Terei que retirar oferta a menos que complete contrato. Marque encontro por carta. Confirmarei por anúncio. — Pierrô'.

— E finalmente: 'Segunda-feira, após as 21h00. Duas batidas. Somente nós dois. Não fique desconfiado. Pagamento em dinheiro vivo na entrega dos bens. — Pierrô'.

— Um registro bastante completo, Watson! Se apenas pudéssemos encontrar o destinatário dessas mensagens! — Ele se quedou perdido em pensamentos, tamborilando os dedos sobre a mesa. Finalmente, saltou de pé.

— Bem, talvez não seja tão difícil, no fim das contas. Não há mais nada a ser feito aqui, Watson. Acho que podemos ir até a sede do *Daily Telegraph*, e assim concluir um bom dia de trabalho.

Mycroft Holmes e Lestrade chegaram ao encontro marcado conosco após o desjejum do dia seguinte, e Sherlock Holmes lhes narrou nossas ações do dia anterior. O detetive profissional balançou a cabeça ao ouvir nossa confissão de arrombamento.

— Não podemos fazer essas coisas na polícia, Sr. Holmes — ele disse. — Não admira que o senhor obtenha resultados inalcançáveis para nós. Mas qualquer dia desses irá longe demais, e o senhor e seu amigo ver-se-ão em apuros.

— Pela Inglaterra, a bela pátria; hein, Watson? Mártires no altar do nosso país. Mas o que acha disso, Mycroft?

— Excelente, Sherlock! Admirável! Mas que uso você fará dele?

Holmes pegou o *Daily Telegraph* que estava sobre a mesa.

— Viu o anúncio de Pierrô de hoje?

— O quê?! Mais um?

— Sim, aqui está: "Esta noite. Mesmo horário. Mesmo lugar. Duas batidas. De crucial importância. Sua segurança está em jogo. — Pierrô".

— Pelos céus! — exclamou Lestrade. — Se ele responder a isso, vamos pegá-lo!

— Essa era a minha ideia quando mandei publicar. Acho que se for conveniente para vocês acompanhar-nos por volta das 20h00 até Caulfield Gardens, possivelmente chegaremos um pouco mais perto de uma solução.

Uma das características mais notáveis de Sherlock Holmes era seu poder de desativar seu cérebro e dirigir todos os seus pensamentos para assuntos mais leves sempre que se convencia de que não haveria vantagem em continuar trabalhando. Lembro que, durante todo aquele dia memorável, ele mergulhou numa monografia que começara sobre os Motetos Polifônicos de Lasso. De minha parte, eu absolutamente não possuía esse poder de distanciamento, e o dia, portanto, pareceu ser interminável. A grande importância nacional do assunto, a expectativa nos mais altos escalões, a natureza direta do experimento que tentaríamos realizar, tudo se unia para castigar meus nervos. Foi um alívio para mim quando finalmente, após um leve jantar, partimos em nossa expedição. Lestrade e Mycroft compareceram ao encontro marcado conosco diante da Estação de Gloucester Road. A porta do pátio da casa de Oberstein ficara aberta desde a noite anterior, mas eu precisei, já que Mycroft Holmes, indignado, negava-se absolutamente a escalar a cerca, entrar e abrir a porta principal. Às 21h00, estávamos todos sentados no escritório, aguardando pacientemente o nosso homem.

Uma hora se passou, e mais outra. Quando bateram as onze, as badaladas compassadas do grande relógio da igreja pareciam soar a elegia das nossas esperanças. Lestrade e Mycroft agitavam-se em seus assentos e consultavam seus relógios a cada meio minuto. Holmes permanecia em silêncio e controlado, com as pálpebras semicerradas, mas todos os sentidos em alerta. Ele levantou a cabeça com um movimento repentino.

— Ele está vindo — disse.

Ouviram-se passos furtivos passando pela porta. Em seguida, eles voltaram. Veio o ruído de pés arrastados do lado de fora, e então duas batidas secas na porta. Holmes se levantou, indicando com um gesto que permanecêssemos sentados. O bico de gás no corredor era um mero ponto luminoso. Holmes abriu a porta externa, e quando uma silhueta escura passou por ele, fechou-a e passou o trinco.

— Por aqui! — nós o ouvimos dizer, e um momento depois, nosso homem estava diante de nós. Holmes o seguira de perto, e quando o homem deu meia-volta com uma exclamação de surpresa e alarme, Holmes o segurou pelo colarinho e o jogou de volta na sala. Antes que nosso prisioneiro recuperasse o equilíbrio, a porta estava fechada e Holmes com as costas apoiadas nela. O homem correu os olhos arregalados ao seu redor, cambaleou e desabou, desmaiado. Com o impacto, seu chapéu de abas largas saiu da cabeça, seu cachecol descobriu-lhe os lábios, e lá estava a longa barba loura e os traços suaves, delicados e belos do coronel Valentine Walter.

Holmes assobiou, surpreso.

— Pode me chamar de asno desta vez, Watson — ele disse. — Esse não é o pássaro que eu esperava pegar.

— Quem é ele? — perguntou Mycroft, ansioso.

— O irmão mais novo do falecido Sir James Walter, chefe do Departamento de Submarinos. Sim, sim; já entendo as cartas sobre a mesa. Ele está acordando. Acho que é melhor deixarem que eu o interrogue.

Carregamos o corpo inerte até o sofá. Então nosso prisioneiro se sentou, olhou ao redor com uma expressão horrorizada e passou a mão sobre a testa, como alguém que não consegue acreditar em seus sentidos.

— O que é isso? — ele perguntou. — Vim aqui visitar o Sr. Oberstein.

— Já sabemos de tudo, coronel Walter — disse Holmes. — Como um cavalheiro inglês pôde se comportar de tal maneira, está além da minha compreensão. Mas toda a sua correspondência e suas relações com Oberstein são do nosso conhecimento. Também as circunstâncias relacionadas à morte do jovem Cadogan West. Permita-me aconselhá-lo a procurar ao menos o parco crédito do arrependimento e da confissão, já que ainda há alguns detalhes que só podemos ouvir dos seus lábios.

O homem gemeu e afundou o rosto nas mãos. Nós esperamos, mas ele se manteve em silêncio.

— Posso assegurar — disse Holmes — que todo o essencial já é conhecido. Sabemos que o senhor precisava de dinheiro; que fez um molde das chaves que seu irmão guardava; e que encetou correspondência com Oberstein, que respondia às suas cartas com anúncios no *Daily Telegraph*. Temos ciência de que o senhor foi ao escritório na noite enevoada de segunda-feira, mas foi visto e seguido pelo jovem Cadogan West, que provavelmente já tinha algum motivo para suspeitar do senhor. Ele presenciou o furto, mas não podia dar o alarme, pois era possível que o senhor estivesse apenas pegando os documentos para entregá-los ao seu irmão em Londres. Abandonando qualquer preocupação pessoal, como bom cidadão que era, West seguiu o senhor de perto na neblina e se manteve em seu encalço até que o senhor chegou a esta casa. Aqui ele interveio, e foi então, coronel Walter, que à traição o senhor somou o crime mais terrível de homicídio.

— Não! Não! Diante de Deus, juro que não fui eu! — gritou nosso miserável prisioneiro.

— Conte-nos, então, como Cadogan West encontrou seu fim antes que o senhor o deitasse sobre o teto de um vagão ferroviário.

— Contarei. Juro aos senhores que contarei. Eu fiz o resto, confesso. Foi exatamente como o senhor disse. Uma dívida na Bolsa de Valores precisava ser paga. Eu necessitava muito daquele dinheiro. Oberstein ofereceu-me cinco mil. Era o que me salvaria da ruína. Mas quanto ao homicídio, sou tão inocente quanto o senhor.

— O que aconteceu, então?

— Ele já tinha suspeitas, e seguiu-me como o senhor descreveu. Não percebi até chegar à porta desta casa. A neblina era densa, não se via nada a três metros de distância. Eu bati duas vezes e Oberstein veio abrir a porta. O jovem se aproximou e quis saber o que iríamos fazer com os documentos. Oberstein tinha um porrete curto que sempre carregava consigo. Quando West forçou a entrada, seguindo-nos para dentro da casa, Oberstein golpeou-o na cabeça. O golpe foi fatal. Em cinco minutos, ele estava morto. Lá estava ele, estendido no corredor, e nós dois desesperados, sem saber o que fazer. Então Oberstein teve essa ideia dos trens que paravam sob sua janela dos fundos. Mas primeiro ele examinou os documentos que eu trouxera. Ele disse que três eram essenciais, e que precisava ficar com eles. "Não pode ficar com eles", eu disse. "Haverá uma confusão tremenda em Woolwich se não forem devolvidos." "Preciso ficar com eles", Oberstein disse, "pois são tão técnicos que é impossível copiá-los no tempo que nos resta." "Então precisam todos ser devolvidos ainda esta noite", eu disse. Ele pensou um pouco, e em seguida exclamou que tinha a solução. "Três vão ficar comigo", ele disse. "Os outros, vamos enfiar no bolso deste jovem. Quando ele for encontrado, certamente vão responsabilizá-lo por tudo." Eu não via outra alternativa, por isso fizemos o que ele sugeriu. Esperamos meia hora na janela, até que um trem parou. A névoa era tão densa que não se via nada, e não tivemos dificuldade em baixar o corpo de West até o trem. Esse foi o fim de minha participação no caso.

A AVENTURA DOS PLANOS DO BRUCE-PARTINGTON

— E o seu irmão?

— Ele não disse nada, mas uma vez me flagrara com suas chaves, e acho que desconfiava de mim. Eu lia a desconfiança em seus olhos. Como sabem, ele nunca mais levantou a cabeça.

Fez-se o silêncio na sala. Ele foi quebrado por Mycroft Holmes.

— Não pode remediar o que fez? Aliviaria sua consciência, e talvez sua punição.

— Como eu poderia remediar?

— Onde está Oberstein com os documentos?

— Não sei.

— Ele não deixou um endereço?

— Disse que cartas endereçadas ao Hotel du Louvre, em Paris, iriam alcançá-lo eventualmente.

— Então ainda pode remediar o mal que fez — disse Sherlock Holmes.

— Farei tudo o que puder. Não tenho muitos motivos para poupar esse sujeito. Ele foi minha ruína e minha desgraça.

— Aqui estão papel e pena. Sente-se a esta escrivaninha e escreva o que vou ditar. Sobrescreva o envelope com o endereço que ele lhe deu. Isso mesmo.

"Agora, a carta: 'Caro senhor, com relação à nossa transação, sem dúvida terá observado, a esta altura, que um detalhe essencial está faltando. Tenho uma cópia que completará o que falta. Obtê-la causou-me mais problemas, no entanto, e devo pedir um pagamento adicional de quinhentas libras.

Não posso enviar a cópia por carta, tampouco aceitarei nada além de ouro ou numerário. Eu poderia ir encontrá-lo no estrangeiro, mas ausentar-me do país no presente momento suscitaria comentários. Portanto, espero encontrar o senhor na sala de fumo do Hotel Charing Cross ao meio-dia de sábado. Lembre-se, aceitarei apenas libras esterlinas em espécie ou ouro'. Assim está ótimo. Ficarei muito surpreso se isso não atrair o nosso homem."

E atraiu! É um fato histórico — daquela história secreta de uma nação, que amiúde é tão mais íntima e interessante do que a crônica pública — que Oberstein, ansioso para completar o maior golpe de sua vida, mordeu a isca e foi confinado com segurança numa prisão britânica por quinze anos. Em sua bagagem foram encontrados os inestimáveis planos do Bruce-Partington, que ele pusera em leilão junto a todos os centros navais da Europa.

O coronel Walter morreu na prisão perto do fim do segundo ano de sua sentença. Quanto a Holmes, ele voltou, com ânimo renovado, à sua monografia sobre os Motetos Polifônicos de Lasso, desde então publicada em edição particular e considerada por especialistas a última palavra sobre o assunto. Algumas semanas depois, eu soube por acaso que meu amigo passara o dia em Windsor, de onde retornou com um vistoso broche de gravata de esmeralda. Quando lhe perguntei se o comprara, ele respondeu que era presente de uma certa graciosa dama, em cujo interesse ele tivera uma vez a bem-aventurança de realizar uma singela missão. Ele não disse mais nada; mas imagino poder adivinhar o nome augusto dessa dama, e não me resta dúvida de que aquele broche de esmeralda trará sempre à memória do meu amigo a aventura dos planos do Bruce-Partington.

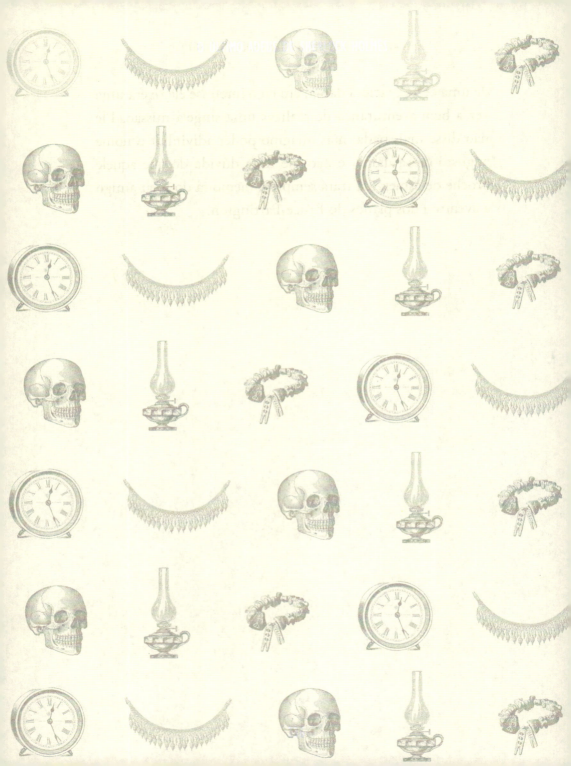

cinco

A AVENTURA DO DETETIVE MORIBUNDO

A Sra. Hudson, a senhoria de Sherlock Holmes, era uma sofredora. Não só seus aposentos no primeiro andar eram invadidos a qualquer hora do dia ou da noite por hordas de figuras singulares e amiúde indesejáveis, mas seu peculiar hóspede demonstrava tal excentricidade e irregularidade em sua vida que a paciência da senhora devia ser duramente posta à prova. Seu incrível desleixo, seu vício de tocar música em horários estranhos, sua ocasional prática de tiro dentro de casa, seus experimentos científicos esdrúxulos e muitas vezes malcheirosos, e a atmosfera de violência e perigo que pairava ao seu redor, tornavam-no certamente o pior inquilino de Londres. Por outro lado, seus pagamentos eram principescos. Não tenho dúvidas de que a casa poderia ter sido comprada com os valores que Holmes pagou pelos aposentos durante os anos que passei com ele.

A senhoria nutria por ele uma veneração profunda, e jamais ousou interferir nas ações de seu hóspede, por mais ultrajantes que elas pudessem parecer. Também gostava dele, pois ele tinha gentileza e cortesia notáveis ao lidar com mulheres. Ele não apreciava o belo sexo e dele desconfiava, mas era sempre um antagonista cavalheiresco. Sabendo quão genuína era a consideração que a senhoria por ele sentia, ouvi com atenção seu relato quando ela me procurou, no segundo ano da minha vida de casado, e me contou da triste condição a que meu pobre amigo se via reduzido.

— Ele está morrendo, Dr. Watson — ela disse. — Há três dias está definhando, e duvido que passe de hoje. Ele não me deixa chamar um médico. Esta manhã, quando vi os ossos saltando de sua face e seus grandes olhos brilhantes me olhando, não suportei mais. "Com ou sem sua permissão, Sr. Holmes, vou buscar um médico já", eu disse. "Que seja Watson, então", ele respondeu. Eu não perderia uma só hora em ir vê-lo, senhor, ou pode nem encontrá-lo vivo.

Fiquei horrorizado, pois nada sabia de sua doença. Nem preciso dizer que fui correndo pegar meu casaco e meu chapéu. Durante a viagem de volta, pedi mais detalhes.

— Posso contar pouca coisa, senhor. Ele estava trabalhando num caso em Rotherhithe, num beco perto do rio, e trouxe essa doença de lá. Ficou acamado quarta-feira à tarde e não se moveu mais desde então. Durante esses três dias, nenhuma comida ou bebida passou por seus lábios.

— Bom Deus! Por que a senhora não chamou um médico?

— Ele não aceitava, senhor. Sabe como ele é autoritário. Eu não ousava desobedecer. Mas ele não vai ficar muito mais tempo neste mundo, como o senhor mesmo perceberá, assim que puser os olhos nele.

Ele apresentava, de fato, um espetáculo deplorável. Na penumbra do dia enevoado de novembro, o quarto do doente era um lugar melancólico, mas foi aquele rosto ossudo e esgotado que me olhou da cama o que causou calafrios em meu coração. Seus olhos tinham o brilho da febre, havia um rubor doentio nas bochechas e crostas escuras presas aos seus lábios; as mãos magras sobre a coberta sofriam tremores incessantes, e sua voz era rouca e espasmódica. Ele jazia exausto quando entrei no quarto, mas ver-me causou um lampejo de reconhecimento em seus olhos.

— Bem, Watson, parece que estamos passando por dias ruins — ele disse com voz fraca, mas com algo de sua antiga atitude despreocupada.

— Meu caro colega! — exclamei, me aproximando dele.

— Para trás! Para trás, já! — ele disse, com a cortante imperiosidade que eu associava apenas a momentos de crise.

— Se você se aproximar, Watson, vou mandar que se retire da casa.

— Mas por quê?

— Porque é o meu desejo. Isso não basta?

Sim, a Sra. Hudson tinha razão. Ele estava mais autoritário do que nunca. Era patético, todavia, ver sua exaustão.

— Eu só queria ajudar — expliquei.

— Exato! Vai me ajudar melhor fazendo o que eu mandar.

— Claro, Holmes.

Ele relaxou a austeridade de seus modos.

— Não está com raiva? — ele perguntou, ofegante.

Pobre-diabo, como eu poderia estar com raiva vendo-o prostrado, sofrendo assim diante de mim?

— É pelo seu próprio bem, Watson — ele gemeu.

— Pelo *meu* bem?

— Eu sei o que tenho. É uma doença nativa de Sumatra; algo que os holandeses conhecem melhor do que nós, embora pouco tenham avançado com ela até hoje. Só uma coisa é certa. É infalivelmente mortal e horrivelmente contagiosa.

Ele falava agora com uma energia febril, com as mãos longas tremendo e se agitando ao mandar me afastar.

— Contagiosa pelo toque, Watson; é isso, pelo toque. Mantenha distância e tudo estará bem.

— Pelos céus, Holmes! Você acha que eu ponderaria tal consideração por um instante? Se fosse um estranho, isso não me desencorajaria. Imagina que me impediria de cumprir o meu dever com um amigo tão antigo?

Novamente avancei, mas ele me repeliu com uma expressão de raiva furiosa.

— Se você ficar aí, eu vou falar. Caso contrário, terá que sair deste quarto.

Eu tenho um respeito tão profundo pelas qualidades extraordinárias de Holmes que sempre cedi aos seus desejos, até mesmo quando menos os entendia. Mas naquele momento, todos os meus instintos profissionais estavam em alerta. Que ele fosse meu superior em outras ocasiões. Ao menos na doença, eu era o dele.

— Holmes — eu disse —, você não sabe o que está dizendo. Um doente nada mais é que uma criança, e é assim que eu hei de tratá-lo. Quer você queira ou não, vou examinar seus sintomas e receitar um tratamento.

Ele me encarou com veneno nos olhos.

— Se devo aceitar um médico querendo ou não, que seja ao menos alguém em quem eu tenha confiança — ele disse.

— Então não tem confiança em mim?

— Na sua amizade, com certeza. Mas fatos são fatos, Watson, e no fim das contas, você é apenas um clínico geral com experiência muito limitada e qualificações medíocres. É doloroso ter de dizer essas coisas, mas você não me deixa escolha.

Fiquei amargamente magoado.

— Tal comentário é indigno de você, Holmes. Demonstra muito claramente o estado dos seus nervos. Mas se não tem confiança em mim, não o forçarei a aceitar meus serviços. Permita-me trazer Sir Jasper Meek ou Penrose Fisher, ou qualquer outro dos melhores de Londres. Mas alguém você *precisa* aceitar, e isso é definitivo. Se acha que vou ficar parado aqui e vê-lo morrer sem ajudá-lo ou não trazer outra pessoa para ajudar, então está pensando no homem errado.

— Suas intenções são boas, Watson — disse o doente, com algo entre um soluço e um gemido. — Posso demonstrar sua ignorância? Por favor, o que sabe sobre a febre de Tapanuli? O que sabe da gangrena negra de Formosa?

— Nunca ouvi falar de uma ou de outra.

— Existem muitos problemas de saúde, muitas possibilidades patológicas estranhas no Oriente, Watson. — Ele fazia pausas a cada sentença para reunir suas combalidas forças. — Aprendi isso durante algumas pesquisas recentes, que tinham um aspecto médico-criminal. Foi no decurso delas que contraí este mal. Você não pode fazer nada.

— Possivelmente não. Mas sei por acaso que o Dr. Ainstree, a maior autoridade viva em doenças tropicais, está agora em Londres. Qualquer protesto é inútil, Holmes. Vou neste instante buscá-lo. — Eu me virei decididamente para a porta.

Jamais tive um choque igual! Num instante, com o salto de um tigre, o moribundo havia me interceptado. Ouvi o som seco de uma chave sendo virada. No momento seguinte, ele cambaleou de volta à sua cama, exausto e ofegante, após sua tremenda explosão de energia.

— Não vai tirar a chave de mim à força, Watson. Peguei você, meu amigo. Aqui está e aqui vai ficar até eu querer soltá-lo. Mas farei sua vontade. (Tudo isso dito aos poucos, com terríveis esforços para respirar entre as palavras.) Você só está pensando no meu bem. Claro que sei perfeitamente disso. Será como você quiser, mas dê-me tempo para recuperar as forças. Agora não, Watson, agora não. São 16h00. Às 18h00 você pode ir.

— Isso é loucura, Holmes.

— Apenas duas horas, Watson. Prometo que você irá às 18h00. Vai se contentar em esperar?

— Parece que não tenho escolha.

— Não tem mesmo, Watson. Obrigado, não preciso de ajuda para ajeitar minha roupa. Por favor, mantenha distância. Bem, Watson, há outra condição que quero impor. Você irá buscar a ajuda, não do homem que mencionou, mas daquele que eu escolher.

— Como você quiser.

— As três primeiras palavras sensatas que você diz desde que entrou neste quarto, Watson. Você encontrará alguns livros ali. Estou um tanto exausto; como será que se sente uma bateria ao mandar eletricidade para um material isolante? Às 18h00, Watson, continuaremos nossa conversa.

Mas ela estava destinada a continuar bem antes desse horário, e em circunstâncias que me causaram um choque quase tão grande quanto aquele provocado pelo seu salto até a porta. Por alguns minutos, fiquei olhando para a figura silenciosa na cama. Seu rosto estava quase coberto pelas roupas, e ele parecia estar dormindo. Então, incapaz de me acalmar e ler um pouco, comecei a andar lentamente pelo quarto, examinando os retratos de criminosos célebres que adornavam todas as paredes. Finalmente, em minha perambulação sem rumo, cheguei à lareira. Vários cachimbos, bolsas de tabaco, seringas, canivetes, cartuchos de revólver e outros objetos estavam espalhados sobre ela. No meio deles havia uma caixinha preta e branca de marfim com tampa deslizante. Era muito linda, e eu havia estendido a mão para examiná-la mais de perto quando...

Foi um urro apavorante que ele deu — um brado que poderia ser ouvido por toda a rua. Minha pele esfriou e meu cabelo ficou de pé com aquele grito horrível. Ao me virar, vislumbrei seu rosto contorcido e olhar frenético. Fiquei paralisado, com a caixinha na mão.

— Largue isso! Largue agora mesmo, Watson; agora, eu disse! — Sua cabeça voltou a cair sobre o travesseiro e ele soltou um profundo suspiro de alívio quando deixei a caixa sobre a moldura da lareira. — Odeio que mexam nas minhas coisas, Watson. Você sabe que eu odeio. Sua irrequietude é insuportável. Você, um médico, é capaz de condenar um paciente ao hospício. Sente-se aí, homem, e me deixe descansar!

O incidente causou uma impressão assaz desagradável na minha mente. A agitação violenta e injustificada, seguida por aquela brutalidade nas palavras, tão distante de sua costumeira suavidade, me demonstravam quão profunda era a desorganização de sua mente. De todas as ruínas, aquela de uma mente nobre é a mais deplorável. Quedei-me em silencioso desânimo até que a hora estipulada chegou. Ele parecia estar vigiando o relógio tanto quanto eu, pois mal haviam batido as seis quando ele voltou a falar com a mesma animação febricitante de antes.

— Bem, Watson — ele disse. — Você tem trocados no bolso?
— Sim.
— Moedas de prata?
— Várias.
— Quantas meias coroas?
— Tenho cinco.
— Ah, poucas! Poucas! Que infelicidade, Watson! Porém, essas mesmas você pode pôr no bolso do relógio. E o resto do dinheiro no bolso esquerdo da calça. Obrigado. Você fica bem mais equilibrado assim.

Era a insanidade total. Ele tremia, e novamente produziu um som entre a tosse e o soluço.

— Agora acenda o bico de gás, Watson, mas tome cuidado para não deixar o lume mais do que a meio por um instante que seja. Imploro que tome cuidado, Watson. Obrigado, assim está excelente. Não, não precisa fechar a persiana. Agora tenha a bondade de colocar algumas cartas e papéis sobre esta mesa, ao meu alcance. Obrigado. Agora, um pouco dos objetos da lareira. Excelente, Watson. A pinça do açucareiro está ali. Por gentileza, use-a para pegar aquela caixinha de marfim. Coloque-a aqui, entre os papéis. Ótimo!

Agora pode ir chamar o Sr. Culverton Smith na Lower Burke Street, número 13.

Para dizer a verdade, meu desejo de chamar um médico havia enfraquecido um pouco, pois o pobre Holmes estava tão obviamente delirante que parecia perigoso deixá-lo só. De qualquer forma, agora ele estava tão ansioso para consultar a pessoa que mencionara quanto antes se obstinava em recusar.

— Nunca ouvi esse nome — eu disse.

— É possível, meu bom Watson. Talvez seja uma surpresa saber que o homem que mais entende dessa doença no mundo não é médico, e sim fazendeiro. O Sr. Culverton Smith é um conhecido residente de Sumatra, que está agora visitando Londres. Uma epidemia da doença em sua plantação, que fica distante de recursos médicos, levou-o a estudar o mal por conta própria, com algumas consequências bastante relevantes. Ele é uma pessoa muito metódica, e eu não quis que você partisse antes das 18h00 porque sabia muito bem que não iria encontrá-lo no seu escritório. Se você puder convencê-lo a vir aqui e nos dar o benefício de sua experiência única com essa doença, cuja investigação sempre foi seu passatempo preferido, não tenho dúvidas de que ele poderá me ajudar.

Relatei os comentários de Holmes como um todo contínuo, e não tentarei indicar quanto eram interrompidos por esforços para respirar, tampouco os espasmos das mãos que indicavam a dor que o acometia. Sua aparência havia mudado para pior nas poucas horas que eu passara com ele. As manchas febris estavam mais pronunciadas, os olhos brilhavam mais nas órbitas fundas e escuras, e um suor frio reluzia em sua testa. Ele ainda conservava, todavia, a altiva elegância de seu discurso. Até o último suspiro, seria sempre uma autoridade.

— Você vai lhe contar exatamente como me deixou — ele disse. — Reproduza a exata impressão que está em sua mente: um moribundo, um moribundo delirante. Aliás, não consigo entender por que todo o leito do oceano não é um bloco sólido de ostras, já que essas criaturas parecem ser tão prolíficas. Ah, estou divagando! É estranho como o cérebro controla o cérebro! O que eu estava dizendo, Watson?

— Minhas instruções para o Sr. Culverton Smith.

— Ah, sim, lembrei. Minha vida depende delas. Argumente com ele, Watson. Nossas relações não são boas. Seu sobrinho, Watson; suspeitei de um crime e permiti que ele percebesse. O rapaz teve uma morte horrível. Ele sente rancor de mim. Você vai amolecê-lo, Watson. Implore, suplique, traga-o aqui de qualquer maneira. Ele pode me salvar, somente ele!

— Vou trazê-lo num táxi, mesmo que tenha que arrastá-lo.

— Não vai fazer nada disso. Vai persuadi-lo a vir. E então vai voltar antes dele. Invente qualquer desculpa para não vir com ele. Não esqueça, Watson. Você não vai falhar comigo. Nunca falhou comigo. Sem dúvida existem inimigos naturais que limitam o aumento das criaturas. Você e eu, Watson, fizemos nossa parte. Será que o mundo vai ser dominado pelas ostras, então? Não, não; horrível! Você vai relatar tudo o que tem em mente.

Eu o deixei, assombrado pela imagem daquele intelecto magnífico tagarelando como uma criança tola. Ele me entregara a chave, e tive a lembrança feliz de levá-la comigo, por medo que ele se trancasse no quarto. A Sra. Hudson estava à espera, tremendo e chorando no corredor. Atrás de mim, ao sair dos aposentos, eu ouvia a voz aguda e fraca de Holmes entoando algum canto delirante. Lá embaixo, enquanto eu chamava um táxi, um homem me abordou em meio à neblina.

— Como está o Sr. Holmes, senhor? — ele perguntou.

Era um velho conhecido, o inspetor Morton, da Scotland Yard, vestido à paisana.

— Está muito doente — respondi.

Ele me olhou de maneira muito singular. Se a ideia não fosse perversa demais, eu poderia imaginar que a luz da entrada revelava exultação em seu rosto.

— Ouvi rumores a respeito — ele disse.

O táxi havia parado, e eu deixei o homem.

Lower Burke Street provou ser uma fileira de belas casas localizadas na vaga divisa entre Notting Hill e Kensington. Aquela diante da qual meu taxista parou tinha um ar de respeitabilidade a um só tempo convencida e tímida em seus antiquados trilhos de ferro, sua pesada porta sanfonada e seus frisos de latão reluzente. Tudo combinava com um solene mordomo que apareceu, emoldurado no halo rosado de uma lâmpada elétrica colorida que o iluminava por trás.

— Sim, o Sr. Culverton Smith está. Dr. Watson! Muito bem, senhor, levarei o seu cartão.

Meu nome e título, ambos humildes, não pareceram impressionar o Sr. Culverton Smith. Pela porta entreaberta, eu ouvia uma voz aguda, petulante, penetrante.

— Quem é essa pessoa? O que deseja? Meu Deus, Staples, quantas vezes já falei que não quero ser perturbado nos meus horários de estudo?

Ouviu-se um suave fluir de explicações calmantes do mordomo.

— Bem, não quero vê-lo, Staples. Não posso ter interrupções assim no meu trabalho. Não estou em casa. Diga isso. Peça que ele volte de manhã, se realmente precisa me ver.

Mais uma vez, o murmúrio suave.

— Bem, bem, dê esse recado. Ele pode voltar de manhã ou não voltar. Meu trabalho não deve ser atrapalhado.

Pensei em Holmes, rolando doente em seu leito, e contando os minutos, talvez, até que eu voltasse com a ajuda. Não era o momento de ater-se a cerimônias. Sua vida dependia de minha prontidão. Antes que o mordomo se esvaísse em desculpas para dar o recado, eu o afastei do caminho e entrei no quarto.

Com um grito agudo de raiva, um homem se levantou de uma espreguiçadeira ao lado do fogo. Vi um grande rosto amarelo, áspero e oleoso, com uma papada pesada e dois olhos cinzentos, sombrios e ameaçadores, que me fitavam debaixo de sobrancelhas hirsutas e grisalhas. Sua grande calva tinha um pequeno barrete cobrindo caprichosamente um lado de sua curva rosada. O crânio era de enorme volume, no entanto, baixando os olhos, vi, para minha surpresa, que o corpo do homem era pequeno e frágil, com as costas e os ombros retorcidos, como os de alguém acometido por raquitismo na infância.

— O que é isso? — ele exclamou, gritando a plenos pulmões. — O que significa essa intrusão? Não acabei de mandar dizer que iria recebê-lo amanhã de manhã?

— Sinto muito — eu disse —, mas o assunto não pode esperar. O Sr. Sherlock Holmes...

A menção do nome do meu amigo teve um efeito extraordinário no homenzinho. A expressão de raiva desapareceu num instante de seu rosto. Seu semblante ficou tenso e alerta.

— O senhor vem da parte de Holmes? — ele perguntou.

— Acabo de deixá-lo.

— O que tem Holmes? Como ele está?

— Desesperadamente doente. Foi por isso que vim.

O homem me indicou uma poltrona e voltou a sentar-se na sua. Nesse momento, vi de relance seu rosto no espelho sobre a lareira. Poderia jurar que ele exibia um sorriso malicioso e abominável. No entanto, eu disse a mim mesmo que devia ter sido alguma contração nervosa que eu flagrara, pois ele se virou um instante depois com uma expressão de preocupação genuína.

— Lamento ouvir isso — ele disse. — Só conheci o Sr. Holmes devido a alguns negócios que fizemos, mas tenho o maior respeito por seus talentos e seu caráter. Ele é um amador do crime como eu sou das doenças. A ele os vilões, a mim os micróbios. Ali estão minhas prisões — ele continuou, apontando uma fileira de frascos e tubos sobre um aparador. — Nessas culturas gelatinosas, alguns dos piores malfeitores do mundo estão agora cumprindo suas penas.

— É por causa do seu conhecimento especializado que o Sr. Holmes deseja vê-lo. Ele tem o senhor em alta conta e achou que seria o único homem em Londres que poderia ajudá-lo.

O homenzinho teve um sobressalto, e o barrete espalhafatoso caiu no chão.

— Por quê? — ele perguntou. — Por que o Sr. Holmes acha que eu poderia ajudá-lo com seu mal?

— Por causa do seu conhecimento de doenças orientais.

— Mas por que ele acha que a doença que contraiu é oriental?

— Porque, numa investigação profissional, ele estava trabalhando entre os marinheiros chineses no cais.

O Sr. Culverton Smith sorriu agradavelmente e pegou seu barrete.

— Ah, foi isso, então? — ele disse. — Imagino que o problema não seja tão desesperador quanto o senhor supõe. Há quanto tempo ele está doente?

— Cerca de três dias.

— Está delirante?

— Ocasionalmente.

— Ora, ora! Parece grave. Seria desumano não atender ao seu chamado. Abomino qualquer interrupção ao meu trabalho, Dr. Watson, mas esse caso certamente é excepcional. Irei imediatamente com o senhor.

Eu me lembrei da injunção de Holmes.

— Tenho outro compromisso — eu disse.

— Muito bem. Irei sozinho, então. Tenho o endereço do Sr. Holmes anotado. Pode confiar que estarei lá em meia hora, no máximo.

Foi com o coração pesado que voltei ao quarto de Holmes. Até onde eu sabia, o pior poderia ter acontecido na minha ausência. Para meu enorme alívio, ele melhorara imensamente naquele ínterim. Sua aparência estava mais espectral do que nunca, mas todo sinal de delírio desaparecera, e ele falava com voz fraca, é verdade, mas até com mais claridade e lucidez do que de costume.

— Bem, você falou com ele, Watson?

— Sim; ele está vindo.

— Admirável, Watson! Admirável! Você é o melhor dos mensageiros.

— Ele queria voltar comigo.

— Isso jamais funcionaria, Watson. Seria obviamente impossível. Ele perguntou o que me afligia?

— Falei sobre os chineses do East End.

— Exatamente! Bem, Watson, você fez tudo que um bom amigo poderia fazer. Agora pode desaparecer.

— Preciso esperar e ouvir a opinião dele, Holmes.

— Claro que sim. Mas tenho motivos para supor que essa opinião será muito mais franca e valiosa se ele imaginar que estamos a sós. Há espaço suficiente atrás da cabeceira da minha cama, Watson.

— Meu caro Holmes!

— Temo que não haja alternativa, Watson. O quarto não se presta muito ao ocultamento, o que é bom, pois é menos provável que desperte suspeitas. Mas ali, Watson, acredito que seja possível. — De repente, ele endireitou o corpo com uma rígida concentração em seu rosto abatido. — Ouço as rodas da carruagem, Watson. Rápido, homem, se você me ama! E não saia daí, aconteça o que acontecer; aconteça o que acontecer, ouviu? Não fale! Não se mexa! Apenas aguce os ouvidos.

— Então, num instante, seu acesso repentino de força se esvaiu, e seu discurso imperioso e objetivo degringolou para os murmúrios baixos e vagos de um homem semidelirante.

Do esconderijo para o qual eu fora tão apressadamente tangido, ouvi os passos na escada e o abrir e fechar da porta do quarto. Então, para minha surpresa, veio um longo silêncio, interrompido apenas pela respiração pesada e os gemidos do enfermo. Eu podia imaginar que nosso visitante estivesse ao lado da cama, olhando para o sofredor. Por fim, aquela estranha quietude foi quebrada.

— Holmes! — ele exclamou. — Holmes! — No tom insistente de quem acorda alguém que dorme. — Não está me ouvindo, Holmes? — Houve um farfalhar, como se ele tivesse agitado rudemente o enfermo pelo ombro.

— É o Sr. Smith? — Holmes murmurou. — Eu não ousava acreditar que o senhor viria.

O outro riu.

— Imagino que não — ele disse. — No entanto, como vê, aqui estou. Brasas sobre a cabeça, Holmes, brasas sobre a cabeça!

— É muita bondade da sua parte, muito nobre. Reconheço seu conhecimento especializado.

Nosso visitante deu uma risadinha.

— Deveras. Felizmente, é a única pessoa em Londres que o reconhece. Você sabe o que tem?

— A mesma coisa — disse Holmes.

— Ah! Reconheceu os sintomas?

— Bem demais.

— Ora, eu não me surpreenderia, Holmes. Não me surpreenderia se *fosse* a mesma coisa. Se for, será péssimo para você. O pobre Victor já estava morto no quarto dia; e era um jovem forte e saudável. Decerto, como você disse, foi muito surpreendente ele ter contraído uma distante doença asiática no coração de Londres; doença, aliás, da qual eu fizera um estudo muito especial. Uma coincidência singular, Holmes. Foi muita esperteza sua tê-la notado, mas um tanto impiedoso sugerir que as duas coisas fossem causa e efeito.

— Eu sabia que tinha sido você.

— Ah, sabia? Bem, mas não pôde provar, de qualquer forma. Mas o que acha de espalhar denúncias assim a meu respeito, e depois procurar-me rastejando, pedindo ajuda, assim que se viu em apuros? Que espécie de jogo é esse, hein?

Ouvi a respiração ruidosa e ofegante do enfermo.

— Dê-me a água! — ele gemeu.

— Você está bem perto do fim, meu amigo, mas não quero que vá embora antes de eu ter uma palavrinha com você. Por isso vou lhe dar água. Pronto, não derrame tudo! Isso mesmo. Consegue entender o que digo?

Holmes gemeu.

— Faça o que puder por mim. Vamos enterrar o passado — ele murmurou. — Vou esquecer todo esse assunto; juro que vou. Apenas me cure e eu esquecerei.

— Esquecerá o quê?

— Bem, o caso da morte de Victor Savage. Você praticamente admitiu, agora há pouco, que foi o culpado. Eu vou esquecer.

— Pode esquecer ou lembrar, como preferir. Não vejo você no banco das testemunhas. Vejo-o em algo feito de madeira, mas bem diferente, meu bom Holmes, garanto. Nada me importa você saber como o meu sobrinho morreu. Não é dele que estamos falando. É de você.

— Sim, sim.

— O sujeito que me procurou, esqueci o nome dele, disse que você pegou a doença dos marinheiros do East End.

— É a única explicação possível.

— Você se orgulha dos seus miolos, não, Holmes? Acha-se muito esperto, não? Pois encontrou alguém mais esperto dessa vez. Agora volte mentalmente no tempo, Holmes. Não consegue imaginar nenhuma outra maneira de ter contraído essa coisa?

— Não consigo pensar. Minha mente se foi. Pelo amor de Deus, me ajude!

— Sim, eu vou ajudar. Vou ajudar você a entender exatamente onde está e como chegou aí. Quero que saiba antes de morrer.

— Dê-me algo para aliviar a dor.

— É doloroso, não? Sim, os nativos uivavam um pouco perto do fim. São como cãibras, imagino.

— Sim, sim; são cãibras.

— Bem, mas você consegue me ouvir. Preste atenção! Pode lembrar algum incidente incomum em sua vida, pouco antes dos sintomas começarem?

— Não, não; nada.

— Pense bem.

— Estou doente demais para pensar.

— Bem, então eu vou ajudar. Recebeu alguma coisa pelo correio?

— Pelo correio?

— Uma caixa, talvez?

— Vou desmaiar, estou morto!

— Escute, Holmes! — Houve um som como se ele estivesse sacudindo o moribundo, e a duras penas consegui manter-me quieto em meu esconderijo. — Precisa me ouvir. Você *vai* me ouvir. Lembra-se de uma caixa, uma caixa de marfim? Ela chegou na quarta-feira. Você a abriu, lembra?

— Sim, sim, eu a abri. Havia uma mola afiada dentro. Alguma brincadeira...

— Não foi uma brincadeira, como vai descobrir às suas próprias custas. Seu tolo, você quis, e você teve. Quem mandou cruzar o meu caminho? Se tivesse me deixado em paz, eu não lhe teria feito mal.

— Eu lembro — Holmes gemeu. — A mola! Ela me cortou, saiu sangue. Esta caixa, aqui, sobre a mesa.

— É mesmo ela, pelos céus! E ela pode também sair deste quarto no meu bolso. Lá se vai seu último farrapo de prova. Mas agora você sabe a verdade, Holmes, e pode morrer com a ciência de que eu o matei. Você sabia demais sobre o destino de Victor Savage, por isso lhe dei o mesmo destino. Está muito próximo do fim, Holmes. Vou sentar-me aqui e ver você morrer.

A voz de Holmes diminuíra para um sussurro quase inaudível.

— O quê? — Smith disse. — Abrir mais o gás? Ah, está começando a escurecer, então? Sim, vou abrir mais, para poder ver você melhor. — Ele atravessou o quarto e a luz de repente ficou mais brilhante. — Há algum outro servicinho que eu possa lhe prestar, meu amigo?

— Cigarro e fósforos.

Quase gritei de alegria e assombro. Ele estava falando com sua voz normal — um pouco fraca, talvez, mas a voz que eu conhecia. Houve uma longa pausa, e senti que Culverton Smith estava silenciosamente estarrecido, olhando para o seu interlocutor.

— O que significa isso? — Eu o ouvi dizer finalmente, num tom seco e áspero.

— A melhor maneira de interpretar um papel com sucesso é vivê-lo — disse Holmes. — Dou minha palavra de que por três dias não pus comida nem bebida alguma na boca, até que você teve a bondade de me dar esse copo d'água. Mas é o tabaco que mais me incomoda. Ah, aqui *estão* os cigarros. — Ouvi o riscar de um fósforo. — Assim está muito melhor. Olá! Olá! Ouço um amigo chegando?

Passos se aproximaram de fora, a porta se abriu e o inspetor Morton apareceu.

— Tudo está em ordem, e este é o seu homem — disse Holmes.

O policial fez os avisos de praxe.

— Está preso pelo assassinato de Victor Savage — ele concluiu.

— E pode acrescentar a tentativa de assassinato de Sherlock Holmes — comentou meu amigo com uma risadinha. — Para poupar trabalho a um inválido, inspetor, o Sr. Culverton Smith teve a bondade de dar o sinal que combinei com o senhor, abrindo mais o gás. A propósito, o preso tem uma caixinha no bolso direito do casaco que seria bom tomar dele. Obrigado. No seu lugar, eu a manusearia com cuidado. Deixe-a aqui. Poderá ser útil no julgamento.

Houve um tropel repentino e uma luta, seguida por batidas metálicas e um grito de dor.

— Assim só vai se machucar — disse o inspetor. — Fique parado aí! — Em seguida, o estalo das algemas se fechando.

— Uma bela armadilha! — gritou a voz alta e esganiçada.

— Vai pôr *você* atrás das grades, Holmes, não eu. Inspetor, ele me pediu que eu viesse e o curasse. Tive pena dele e vim. Agora ele vai inventar, sem dúvida, que eu disse alguma coisa que corroborou suas suspeitas insanas. Pode mentir quanto quiser, Holmes. Minha palavra valerá sempre tanto quanto a sua.

— Pelos céus! — exclamou Holmes. — Esqueci-me completamente dele. Meu caro Watson, eu lhe devo mil desculpas. E pensar que negligenciei você! Não preciso lhe apresentar o Sr. Culverton Smith, já que, pelo que sei, você o conheceu mais cedo. O táxi está lá embaixo? Seguirei vocês depois de me vestir, pois posso ser útil na chefatura.

— Nunca precisei tanto disto como agora — Holmes disse, sorvendo uma taça de *claret* e mordiscando uns biscoitos nos intervalos de sua toalete. — De qualquer forma, como você sabe, meus hábitos são irregulares, e uma façanha assim significa menos para mim do que para a maioria dos homens. Era essencial que eu convencesse a Sra. Hudson da realidade da minha condição, já que ela a transmitiria a você, e você, por sua vez, a ele. Não vai se ofender, Watson? Vai entender que, entre seus muitos talentos, a dissimulação não tem lugar, e que se você soubesse do meu segredo, jamais teria conseguido impressionar Smith com a necessidade urgente da presença dele, que era o ponto vital do plano todo. Conhecendo sua natureza vingativa, eu tinha certeza absoluta de que ele viria contemplar o seu trabalho.

— Mas sua aparência, Holmes; seu rosto cadavérico?

— Três dias de jejum absoluto não melhoram a beleza de ninguém, Watson. Quanto ao resto, nada que uma esponja não possa curar. Com vaselina na testa, beladona nos olhos, *rouge* nas bochechas e crostas de cera de abelha nos lábios, um efeito bastante satisfatório pode ser produzido. Fingir-se de doente é um assunto sobre o qual já pensei em escrever uma monografia. Algumas falas ocasionais sobre meias coroas, ostras ou qualquer outro assunto esdrúxulo produzem um agradável efeito de delírio.

— Mas por que não deixou que eu me aproximasse, se na verdade não havia nenhuma infecção?

— Precisa perguntar, meu caro Watson? Imagina que eu não tenha nenhum respeito pelos seus talentos médicos? Eu podia confiar que seu astuto juízo aceitaria um moribundo que, embora fraco, não tivesse alterações no pulso ou na temperatura? A um metro de distância, eu conseguia enganar você. Se não conseguisse, quem poria Smith ao meu alcance? Não, Watson, eu jamais tocaria naquela caixa. Olhando-a de lado, verá onde a mola afiada emerge como o dente de uma víbora quando ela é aberta. Ouso dizer que foi por meio de algum truque assim que o pobre Savage, que se interpunha entre esse monstro e a reversão de sua herança, foi morto. Minha correspondência, porém, como você sabe, é variada, e eu mantenho uma certa vigilância com qualquer encomenda que recebo. Ficou claro para mim, no entanto, que se eu encenasse que ele realmente lograra êxito em seu desígnio, podê-lo-ia surpreender numa confissão. Essa encenação eu realizei com a meticulosidade de um verdadeiro artista. Obrigado, Watson, precisa me ajudar a vestir o casaco. Depois que terminarmos na chefatura de polícia, acho que algo nutritivo no Simpson's não seria inconveniente.

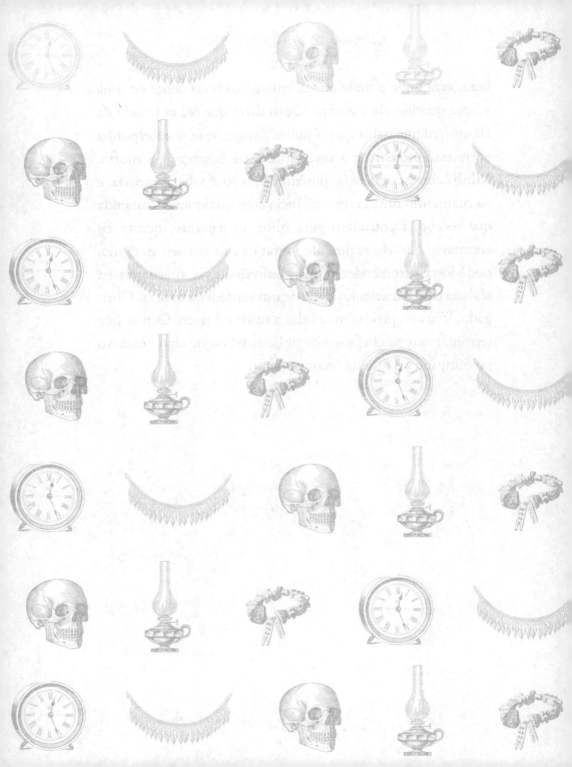

seis

O DESAPARECIMENTO DE LADY FRANCES CARFAX

— Mas por que turco? — perguntou o Sr. Sherlock Holmes, olhando fixamente para as minhas botas. Eu estava refestelado numa cadeira de vime no momento, e meus pés estendidos haviam atraído sua perenemente ativa atenção.

— É inglês — respondi, um pouco surpreso. — Comprei este par de botas na Latimer's, em Oxford Street.

Holmes sorriu, com uma expressão de paciência esgotada.

— O banho — ele disse —; o banho! Por que o turco, tão relaxante e dispendioso, em vez do revigorante artigo nacional?

— Porque nos últimos dias tenho me sentido reumático e velho. Um banho turco é o que chamamos de alternativa na medicina; um novo ponto de partida para limpar o sistema.

"A propósito, Holmes", acrescentei, "não tenho dúvidas de que a relação entre as minhas botas e um banho turco é perfeitamente evidente para uma mente lógica; no entanto, ser-lhe-ia grato se a indicasse."

— A sequência do raciocínio não é tão obscura, Watson — disse Holmes, com um brilho maroto no olhar. — Faz parte da mesma espécie de deduções elementares que eu ilustraria perguntando quem viajou com você no seu táxi esta manhã.

— Admito que uma nova ilustração não explica nada — eu disse, com certa aspereza.

— Bravo, Watson! Um protesto ao qual não faltam dignidade e lógica. Deixe-me ver, quais eram os detalhes? Comecemos por este último, o táxi. Observe que há alguns borrifos na manga e no ombro esquerdos do seu casaco. Se você estivesse sentado no meio de um *hansom*, provavelmente não teria borrifo algum, e se tivesse, certamente eles seriam simétricos. Portanto, está claro que você se sentou num dos lados. Portanto, está igualmente claro que você tinha um acompanhante.

— Isso é bastante evidente.

— Absurdamente corriqueiro, não é?

— Mas as botas e o banho?

— Igualmente infantil. Você tem o hábito de amarrar as botas de uma certa maneira. Vejo que nesta ocasião estão amarradas com um elaborado laço duplo, que não é seu método costumeiro para amarrá-las. Portanto, você as tirou. Quem as amarrou? Um sapateiro ou o rapaz da casa de banhos. É improvável que tenha sido um sapateiro, pois suas botas são quase novas. Bem, o que resta? A casa de banhos. Absurdo, não? Mas pelo menos o banho turco serviu a um propósito.

— Qual?

— Você diz que recorreu a ele porque precisava de uma mudança. Permita-me sugerir uma. Que tal Lausanne, meu caro Watson; passagens de primeira classe e todas as despesas pagas numa estância principesca?

— Esplêndido! Mas por quê?

Holmes voltou a se acomodar na poltrona e tirou seu caderno do bolso.

— Uma das classes mais perigosas do mundo — ele disse — é a da mulher errante e sem amigos. Ela é a mais inofensiva, e amiúde a mais útil das criaturas, mas é a inevitável inspiradora de crimes nos outros. Está indefesa. É migratória. Tem recursos suficientes para viajar de país a país e de hotel a hotel. Está perdida, muitas vezes, num labirinto de obscuras pensões e hospedarias. É uma galinha à solta num mundo de raposas. Quando é devorada, raramente alguém dá por sua falta. Temo muito que algum mal assim tenha vitimado lady Frances Carfax.

Fiquei aliviado com essa repentina passagem do geral para o particular. Holmes consultou suas anotações.

— Lady Frances — ele continuou — é a única sobrevivente da linhagem direta do falecido conde de Rufton. As propriedades passaram, como você deve lembrar, aos herdeiros do sexo masculino. A ela restaram recursos limitados, mas também algumas joias espanholas antigas bastante notáveis, de prata e diamantes curiosamente lapidados, às quais ela era muito apegada; apegada demais, pois recusou-se a deixá-las no banco e sempre as carrega consigo. Uma figura algo patética, lady Frances: uma bela mulher, ainda no frescor da meia-idade; no entanto, por um capricho do acaso, é a última nau à deriva do que, vinte anos atrás, era uma bela frota.

— E o que aconteceu com ela?

— Ah, o que aconteceu com lady Frances? Está viva ou morta? Esse é o nosso problema. Ela é uma mulher de hábitos precisos, e há quatro anos é seu invariável costume escrever, semana sim, semana não, para a Srta. Dobney, sua velha governanta, há muito tempo aposentada, que mora em Camberwell. Foi essa Srta. Dobney que me consultou. Quase cinco semanas se passaram sem nenhuma notícia. A última carta foi enviada do Hotel Nacional em Lausanne. Lady Frances parece ter partido de lá sem deixar endereço. A família está ansiosa, e por ser imensamente rica, não fará economias caso possamos esclarecer a questão.

— A Srta. Dobney é a única fonte de informação? Certamente a dama tinha outros correspondentes, não?

— Há um correspondente que é garantido, Watson: o banco. Damas solteiras precisam viver, e seus extratos bancários são diários resumidos. Seu banco é o Silvester's. Dei uma olhada na conta-corrente dela. Seu penúltimo cheque pagou sua conta no Lausanne, mas era de valor elevado, e provavelmente ela recebeu troco em dinheiro. Somente mais um cheque foi descontado desde então.

— Por quem e onde?

— Pela Srta. Marie Devine. Nada indica onde o cheque foi preenchido. Ele foi descontado no Credit Lyonnais de Montpellier há menos de três semanas. O valor era de cinquenta libras.

— E quem é a Srta. Marie Devine?

— Isso eu também pude descobrir. A Srta. Marie Devine era a criada de lady Frances Carfax. Por que recebeu esse cheque, ainda não determinamos. Não tenho dúvida, no entanto, de que em breve você vai esclarecer a questão.

— *Eu* vou esclarecer?!

— Daí a salutar expedição a Lausanne. Você sabe que eu não posso me ausentar de Londres com o velho Abrahams temendo tão terrivelmente por sua vida. Além disso, de maneira geral, é melhor que eu não saia do país. A Scotland Yard se sente sozinha sem mim, e minha ausência causa uma empolgação pouco saudável nas classes criminosas. Vá, portanto, meu caro Watson, e se você julgar que meus humildes conselhos valem a quantia extravagante de dois *pence* por palavra, eles estão à sua disposição a qualquer hora do dia ou da noite pelos cabos telegráficos da Continental.

Dois dias depois, eu me encontrava no Hotel Nacional de Lausanne, onde fui recebido com toda a cortesia por *monsieur*

Moser, o renomado gerente. Lady Frances, como ele me informou, hospedara-se ali por várias semanas. Ela era muito querida por todos que a conheceram. Não tinha mais do que 40 anos de idade. Ainda era atraente, e tudo indicava que fora uma mulher adorável na juventude. M. Moser não sabia de nenhuma joia valiosa, mas a criadagem comentava que o pesado baú na suíte da dama estava sempre escrupulosamente trancado. Marie Devine, a criada, era tão benquista quanto sua patroa. Na verdade, ela era noiva de um dos garçons mais graduados do hotel, e não foi difícil obter seu endereço: Rue de Trajan, 11, Montpellier. Tudo isso eu anotei, e senti que o próprio Holmes não teria se saído melhor em coletar os fatos.

Somente um aspecto permanecia nas sombras. Nenhuma luz que eu possuísse logrou aclarar o motivo da partida repentina da dama. Ela era muito feliz em Lausanne. Tudo levava a crer que ela pretendia permanecer toda a temporada em seus luxuosos aposentos com vista para o lago. No entanto, partira de um dia para o outro, o que acarretou o pagamento inútil de uma semana de diárias. Somente Jules Vibart, o noivo da criada, tinha alguma sugestão a oferecer. Ele relacionava essa partida repentina à visita, um ou dois dias antes, de um homem alto, moreno, barbado. *"Un sauvage, un véritable sauvage!"*, exclamou Jules Vibart. O homem alugara quartos em algum lugar da cidade. Fora visto falando exaltadamente com a madame no passeio junto ao lago. Em seguida, visitou-a. Ela recusou-se a recebê-lo. Ele era inglês, mas não havia nenhum registro do seu nome. A madame partiu imediatamente depois disso. Jules Vibart e, o que era mais importante, a amada de Jules Vibart, achavam que a visita e a partida eram causa e efeito. Somente uma coisa Jules não podia discutir: o motivo de Marie ter deixado sua patroa. Sobre isso, ele não podia ou não queria dizer nada. Se eu quisesse saber, precisaria ir para Montpellier e perguntar à criada.

Assim terminou o primeiro capítulo da minha investigação. O segundo foi devotado a investigar o lugar que lady Frances Carfax procurara ao partir de Lausanne. A respeito disso, houvera um certo sigilo, que confirmou a ideia de que ela partira com a intenção de despistar alguém. Caso contrário, por que sua bagagem não teria sido explicitamente endereçada a Baden? Tanto ela quanto a bagagem haviam chegado a esse *spa* no Reno por uma rota tortuosa. Isso eu descobri com o gerente do escritório local de Cook. Assim, segui para Baden, depois de enviar a Holmes um relato de todas as minhas ações, e receber em resposta um telegrama de congratulações um tanto irônicas.

Em Baden, o rastro não foi difícil de seguir. Lady Frances se hospedara no Englischer Hof por duas semanas. Durante sua estada, ela conhecera um certo Dr. Shlessinger e sua esposa, missionários na América do Sul. Como a maioria das damas solitárias, lady Frances encontrava conforto e ocupação na religião. A personalidade notável do Dr. Shlessinger, sua sincera devoção e o fato de que ele estava se recuperando de uma doença contraída no exercício de suas atribuições apostólicas comoveram-na profundamente. Ela passou a ajudar a Sra. Shlessinger a cuidar do santo convalescente. Ele transcorria seus dias, como o gerente me descreveu, numa espreguiçadeira na varanda, com uma dama prestimosa de cada lado. Estava preparando um mapa da Terra Santa, com referência especial ao reino dos midianitas, sobre os quais vinha escrevendo uma monografia. Finalmente, depois de melhorar muito de saúde, ele retornou com a esposa para Londres, e lady Frances seguiu para lá na companhia deles. Isso acontecera apenas três semanas atrás, e o gerente não soubera de mais nada desde então. Quanto à criada, Marie, ela havia partido alguns dias antes, debulhada em lágrimas, depois de informar às outras criadas que estava abandonando o serviço para sempre. O Dr. Shlessinger pagara as contas de todo o grupo antes de partir.

— A propósito — disse o senhorio, em conclusão —, o senhor não e o único amigo de lady Frances Carfax que perguntou sobre ela recentemente. Há cerca de uma semana, um homem veio aqui e fez o mesmo.

— Ele disse seu nome? — perguntei.

— Não; mas era inglês, embora fosse um tipo incomum.

— Um selvagem? — eu perguntei, ligando os fatos, à maneira do meu ilustre amigo.

— Exatamente. Isso o descreve muito bem. Era um sujeito corpulento, barbudo, queimado pelo sol, que pareceria mais à vontade numa hospedaria rural do que num hotel elegante. Um homem duro e feroz, eu acho, e que eu lamentaria ofender.

O mistério já começava a se definir, como formas que se tornam mais claras com o dissipar da neblina. Lá estava aquela boa e pia dama, perseguida de um lugar a outro por uma figura sinistra e incansável. Ela o temia, ou não teria fugido de Lausanne. Ele continuou a persegui-la. Cedo ou tarde, iria alcançá-la. Tê-la-ia já alcançado? Seria esse o segredo do prolongado silêncio da dama? Conseguiria a boa gente que a acompanhava protegê-la da violência ou da chantagem desse homem? Que horrível propósito, que desígnio oculto jazia por trás dessa longa perseguição? Aí estava o problema que eu precisava resolver.

Escrevi a Holmes ilustrando quão rápida e acertadamente eu chegara ao cerne da questão. Em resposta, recebi um telegrama pedindo uma descrição da orelha esquerda do Dr. Shlessinger. As ideias de Holmes acerca do humorismo são estranhas e ocasionalmente ofensivas, por isso ignorei sua impropícia galhofa — aliás, eu já havia chegado a Montpellier em busca da criada, Marie, antes que sua mensagem me alcançasse.

Não tive dificuldade em encontrar a ex-serviçal e descobrir tudo o que ela podia me contar. Era uma criatura devotada, que só deixara a patroa por ter certeza de que esta encontrava-se em boas mãos, e porque seu casamento iminente, de qualquer forma, tornaria inevitável essa separação. Sua patroa demonstrara, como ela confessou com angústia, uma certa irritabilidade de temperamento para com ela durante a estada em Baden, e até questionara, uma vez, se a criada desconfiava de sua honestidade, o que tornara a despedida mais fácil do que poderia ter sido. Lady Frances lhe dera cinquenta libras de presente de casamento. Como eu, Marie encarava com profunda desconfiança o desconhecido que afastara sua patroa de Lausanne. Com seus próprios olhos ela o vira agarrar a madame pelo pulso com grande violência no passeio público à beira do lago. Ele era um homem feroz e terrível. Ela acreditava que fora por medo dele que lady Frances havia aceitado a companhia dos Shlessinger até Londres. Ela jamais falara com Marie a respeito disso, mas muitos pequenos sinais convenceram a criada de que sua patroa vivia num estado de contínua apreensão nervosa. Ela havia chegado a essa parte de sua narrativa quando repentinamente saltou da poltrona e seu rosto se contorceu de surpresa e pavor.

— Veja! — ela exclamou. — O malfeitor continua a me seguir! Lá está o homem de que falei.

Pela janela aberta da sala, vi um homem enorme e bronzeado, com uma densa barba negra, andando a passos lentos pelo meio da rua e olhando ansiosamente para os números das casas. Era evidente que, como eu, ele também estava no encalço da criada. Agindo por impulso, corri para fora e o abordei.

— O senhor é inglês — eu disse.

— E se eu for? — ele perguntou, com uma expressão de perverso desdém.

— Posso saber qual o seu nome?

— Não, não pode — ele respondeu, decidido.

A situação era desagradável, mas o método mais direto muitas vezes é o melhor.

— Onde está lady Frances Carfax? — perguntei.

Ele me olhou com assombro.

— O que fez com ela? Por que a está perseguindo? Insisto numa resposta! — eu disse.

Com um urro de raiva, o sujeito saltou sobre mim como um tigre. Já levei a melhor em muitas lutas, mas o homem tinha mão de ferro e a fúria de um demônio. Ele apertava minha garganta, e eu estava quase perdendo os sentidos quando um *ouvrier*, um operário francês com barba por fazer, de camisa azul, saiu de um *cabaret* em frente, com um porrete na mão, e desferiu um golpe certeiro no antebraço do meu agressor que o fez soltar a presa. Ele ficou imóvel por um instante, fumegando de raiva e sem saber ao certo se não devia partir novamente para o ataque. Então, com um rugido furibundo, ele me deixou e entrou no chalé de onde eu acabara de sair. Virei-me para agradecer meu protetor, que estava ao meu lado na estrada.

— Bem, Watson — ele disse —, que belo picadinho da situação você fez! Acho que é melhor voltar comigo para Londres no expresso noturno.

Uma hora depois, Sherlock Holmes, com seus costumeiros garbo e elegância, estava sentado na minha suíte de hotel. A explicação de seu aparecimento tão repentino e oportuno era a própria simplicidade, pois, descobrindo que poderia ausentar-se de Londres, ele resolvera encontrar-me na próxima parada óbvia de minhas viagens. Disfarçado de trabalhador, ele se sentara num *cabaret* e esperara até que eu aparecesse.

— E você realizou sua investigação com singular consistência, meu caro Watson — ele disse. — No momento, não me ocorre nenhuma possível trapalhada que você tenha omitido. O efeito geral de suas ações foi dar o alarme em todo lugar, sem no entanto nada descobrir.

— Talvez você não tivesse feito melhor — respondi amargamente.

— Não existe "talvez" nisso. Eu fiz melhor. Está aqui o honorável Philip Green, hospedado no mesmo hotel que você, e poderemos encontrar nele o ponto de partida para uma investigação mais bem-sucedida.

Um cartão de visitas fora trazido numa salva, e a ele se seguiu o mesmo rufião barbado que me atacara na rua. Ele teve um sobressalto ao me ver.

— O que é isso, Sr. Holmes? — ele perguntou. — Eu recebi seu bilhete e vim. Mas o que esse homem tem a ver com o assunto?

— Este é meu velho amigo e colega, o Dr. Watson, que está nos ajudando no caso.

O desconhecido estendeu a manopla bronzeada com algumas palavras de desculpas.

— Espero não tê-lo machucado. Quando me acusou de fazer mal a ela, perdi o controle. Aliás, não ando respondendo por mim ultimamente. Meus nervos parecem fios eletrificados. Mas essa situação está além das minhas forças. O que quero saber, em primeiro lugar, Sr. Holmes, é como o senhor ficou ciente da minha existência.

— Estou em contato com a Srta. Dobney, a governanta de lady Frances.

— A velha Susan Dobney, com sua touca! Lembro-me bem dela.

— E ela se lembra do senhor. Foi nos dias antes... antes que o senhor achasse melhor ir para a África do Sul.

— Ah, vejo que conhece toda a minha história. Não preciso lhe esconder nada. Juro, Sr. Holmes, que nunca houve neste mundo um homem que amasse uma mulher com um amor mais sincero do que aquele que sinto por Frances. Eu era um jovem rebelde, reconheço; não pior do que outros da minha estirpe. Mas sua mente era pura como a neve. Ela não suportava nem uma sombra de aspereza. Assim, quando ficou a par das coisas que eu fizera, não quis mais falar comigo. No entanto, ela me amava, isso é o que mais me maravilha!, me amava o suficiente para continuar solteira por todos os seus santos dias, somente por amor a mim. Quando os anos passaram e eu enriqueci em Barberton, pensei que talvez pudesse procurá-la e amolecer seu coração. Ouvi dizer que ela continuava solteira. Encontrei-a em Lausanne e tentei tudo o que pude. Ela fraquejou, acho, mas sua força de vontade era grande, e quando a visitei novamente, ela havia deixado a cidade. Segui seus passos até Baden, e então, depois de algum tempo, ouvi que sua criada estava aqui. Sou um sujeito rude, recém-saído de uma vida grosseira, e quando o Dr. Watson falou daquela maneira comigo, perdi as estribeiras por um momento. Mas, pelo amor de Deus, contem-me o que aconteceu com lady Frances.

— Isso ainda vamos descobrir — disse Sherlock Holmes, com peculiar seriedade. — Qual o seu endereço em Londres, Sr. Green?

— Poderá me encontrar no Hotel Langham.

— Então posso recomendar que volte para lá e esteja à minha disposição, caso eu precise do senhor? Não tenho desejo algum de encorajar falsas esperanças, mas pode ter certeza de que tudo o que for possível será feito pela segurança de lady Frances. No momento, não posso dizer mais nada. Deixarei este cartão para que tenha como entrar em contato conosco. Agora, Watson, faça as malas, e eu enviarei um cabograma pedindo que a Sra. Hudson empreenda seus melhores esforços em prol de dois viajantes famintos às 19h30 de amanhã.

Um telegrama estava à nossa espera quando chegamos aos nossos aposentos na Baker Street, que Holmes leu com uma exclamação de interesse e jogou para mim. A mensagem dizia "irregular ou rasgada", e o lugar de origem era Baden.

— O que é isto? — perguntei.

— É tudo — Holmes respondeu. — Talvez se lembre de minha pergunta aparentemente irrelevante sobre a orelha esquerda daquele sacerdotal cavalheiro. Você não a respondeu.

— Eu já havia saído de Baden e não pude averiguar.

— Exato. Por esse motivo, mandei uma cópia para o gerente do Englischer Hof, cuja resposta está aí.

— O que isso demonstra?

— Demonstra, meu caro Watson, que estamos lidando com um homem excepcionalmente astuto e perigoso. O reverendo Dr. Shlessinger, missionário na América do Sul, não é outra pessoa senão Santo Peters, um dos mais inescrupulosos canalhas que a Austrália jamais produziu, e para um país tão jovem, ela já forneceu alguns tipos muito bem-acabados. Sua especialidade pessoal é o encantamento de damas solitárias, valendo-se dos sentimentos religiosos das pobrezinhas, e sua pretensa esposa, uma inglesa chamada Fraser, é uma valorosa ajudante. A natureza da tática desse homem sugeriu-me sua identidade, e essa peculiaridade física, ele foi ferozmente mordido numa briga de bar em Adelaide, em 1889, confirmou minha suspeita. A pobre dama está nas mãos de um casal realmente infernal, que não respeita nada, Watson. Que ela já esteja morta é uma suposição mui provável. Caso não esteja, indubitavelmente está sendo mantida em algum tipo de confinamento, incapaz de escrever à Srta. Dobney ou aos seus outros amigos. É sempre possível que ela nunca tenha chegado a Londres, ou que já tenha partido daqui, mas a primeira hipótese é improvável, pois com o sistema de registro vigente, não é fácil para estrangeiros iludir a polícia do continente; e a segunda também é improvável, pois esses vilões não teriam esperança de achar qualquer outro lugar onde seja mais fácil manter uma pessoa prisioneira. Todos os meus instintos me dizem que ela está em Londres; porém, como no momento não temos nenhum meio de saber onde, só podemos tomar as providências mais óbvias, jantar e encher nossas almas de paciência. Mais tarde esta noite, eu irei até a Scotland Yard para ter uma conversa com nosso amigo Lestrade.

Mas nem a polícia oficial, nem a pequena porém assaz eficiente organização de Holmes bastaram para esclarecer o mistério. Entre os apinhados milhões de londrinos, as três pessoas que procurávamos estavam completamente obliteradas, como se jamais tivessem existido. Tentamos publicar anúncios e fracassamos. Seguimos pistas e nada encontramos. Toda pocilga criminosa que Shlessinger poderia frequentar foi investigada em vão. Seus antigos camaradas foram vigiados, mas mantiveram-se longe dele. E então, de repente, depois de uma semana de expectativa impotente, surgiu um raio de luz. Um pingente de prata e brilhantes, de estilo espanhol antigo, foi penhorado junto à Bevington's, na Westminster Road. O penhorante era um homem corpulento e bem barbeado, de aparência clerical. Seu nome e endereço eram comprovadamente falsos. A orelha não fora observada, mas a descrição certamente correspondia à de Shlessinger.

Por três vezes nosso amigo barbudo do Hotel Langham visitou-nos à cata de notícias — a terceira, uma hora depois desse novo desdobramento. Suas roupas começavam a ficar folgadas em seu corpanzil. Ele parecia estar definhando de ansiedade.

— Se apenas o senhor me desse algo para fazer! — era seu constante lamento. Finalmente, Holmes pôde satisfazê-lo.

— Ele começou a penhorar as joias. Acho que agora vamos pegá-lo.

— Mas isso significa que algum mal foi feito a lady Frances?

Holmes balançou a cabeça com grande pesar.

— Supondo que a tenham mantido prisioneira até agora, está claro que não podem libertá-la sem que isso os destrua. Precisamos nos preparar para o pior.

— O que posso fazer?

— Aqueles dois conhecem o senhor de vista?

— Não.

— É possível que ele procure outra loja de penhores no futuro. Nesse caso, teremos que recomeçar tudo. Por outro lado, ele recebeu um valor justo e não fizeram perguntas, portanto, se estiver precisando de dinheiro vivo, provavelmente ele voltará à Bevington's. Vou mandar o senhor com um bilhete para os proprietários, assim permitirão que espere dentro da loja. Se o sujeito aparecer, o senhor vai segui-lo até sua casa. Mas sem indiscrições e, acima de tudo, sem violência. Quero sua palavra de honra de que não fará nada sem minha ciência e meu consentimento.

Por dois dias, o honorável Philip Green (ele era, devo mencionar, filho do famoso almirante de mesmo nome, que comandou a frota do Mar de Azof na Guerra da Crimeia) não nos trouxe notícia alguma. No anoitecer do terceiro dia, irrompeu em nossa sala de estar pálido, tremendo, com cada músculo de sua poderosa forma tremendo de empolgação.

— Nós o pegamos! Pegamos! — ele exclamou.

Estava incoerente pela agitação. Holmes o acalmou com algumas palavras e o empurrou para uma poltrona.

— Vamos, vamos, conte-nos os acontecimentos em ordem — ele disse.

— Ela foi lá uma hora atrás. Era a esposa, dessa vez, mas o pingente que ela trouxe fazia par com o outro. É uma mulher alta e pálida, com olhar de fuinha.

— É essa mesmo — disse Holmes.

— Ela saiu da loja e eu a segui. Andou pela Kennington Road e eu me mantive em seu encalço. Por fim, ela entrou em outra loja. Sr. Holmes, era uma agência funerária.

Meu colega teve um sobressalto.

— E então? — ele perguntou naquela voz vibrante que revelava a alma flamejante por trás do rosto frio e cinzento.

— Ela falou com a mulher atrás do balcão. Eu entrei também. "Está demorando", ouvi-a dizer, ou algo assim.

A mulher estava se justificando. "Já deveria ter chegado do fabricante", respondeu. "Demorou mais por ser fora do comum." Ambas pararam de conversar e me olharam, por isso perguntei alguma coisa e saí da loja.

— Agiu magnificamente bem. O que aconteceu em seguida?

— A mulher saiu, mas eu havia me escondido numa soleira. Ela já estava desconfiada, acho, pois olhava ao redor. Então chamou um táxi e entrou. Por sorte, achei outro e assim pude segui-la. Ela desceu, finalmente, no número 36 da Poultney Square, em Brixton. Eu passei pelo local, saí do meu táxi no canto da praça e vigiei a casa.

— Conseguiu ver alguém?

— As janelas estavam todas às escuras, salvo uma no piso inferior. As persianas estavam fechadas, e eu não pude ver o interior. Estava parado ali, pensando no que fazer em seguida, quando uma carroça coberta parou, com dois homens dentro. Eles desceram, tiraram algo da carroça e carregaram pelos degraus até a porta. Sr. Holmes, era um caixão.

— Ah!

— Por um instante, eu quase entrei correndo. A porta fora deixada aberta para dar passagem aos homens e à sua carga. Tinha sido a mulher a abri-la. Mas enquanto eu estava ali parado, ela me viu de relance e acho que me reconheceu. Percebi que ela ficou tensa e fechou a porta às pressas. Lembrei-me de minha promessa ao senhor e aqui estou.

— Fez um trabalho excelente — disse Holmes, rabiscando algumas palavras em meia folha de papel. — Não podemos fazer nada legitimamente sem um mandado, e a melhor maneira de o senhor servir à nossa causa é levar este bilhete para as autoridades e obter esse mandado. Pode haver alguma dificuldade, mas acho que a venda das joias deve ser suficiente. Lestrade cuidará de todos os detalhes.

— Mas eles podem assassiná-la enquanto isso. O que o caixão significa e para quem destinar-se-ia senão para ela?

— Faremos tudo o que possa ser feito, Sr. Green. Não perderemos nem um momento. Deixe o caso em nossas mãos. Agora, Watson — ele acrescentou, enquanto nosso cliente ia embora apressadamente —, ele porá a força policial regular em movimento. Nós somos, como de costume, os irregulares, e precisamos agir por conta própria. A situação me parece tão desesperada que as medidas mais extremas são justificadas. Não devemos perder nem um momento em chegar à Poultney Square.

"Vamos tentar reconstruir a situação", ele disse, enquanto passávamos celeremente pelas Casas do Parlamento e pela Ponte de Westminster. "Esses vilões atraíram a infeliz dama até Londres, depois de inicialmente aliená-la de sua fiel criada. Quaisquer cartas que ela tenha escrito foram interceptadas. Por meio de algum comparsa, alugaram uma casa mobiliada. Depois de ocupá-la, fizeram a madame prisioneira e tomaram posse das joias valiosas que eram seu objetivo desde o início.

Já começaram a vender parte delas, o que lhes parece bastante seguro fazer, visto que não têm motivos para crer que alguém esteja interessado no destino da madame. Quando ela for libertada, irá, naturalmente, denunciá-los. Portanto, ela não pode ser libertada. Mas não podem mantê-la trancafiada para sempre. Assim, o assassinato é a única solução."

— Isso parece bastante claro.

— Agora, vamos seguir outra linha de raciocínio. Ao acompanhar duas sequências de pensamento, Watson, é possível encontrar um ponto de intersecção que deva se aproximar da verdade. Começaremos agora, não pela madame, mas pelo caixão, e argumentaremos de trás para diante. Temo que esse incidente prove sem sombra de dúvida que a madame está morta. Ele também indica um enterro tradicional, com o devido acompanhamento de um atestado de óbito e autorização oficial. Se a madame tivesse sido obviamente assassinada, tê-la-iam enterrado num buraco no jardim dos fundos da casa. Mas aqui tudo está às claras e regularizado. O que isso significa? Certamente que eles a mataram de alguma forma que enganou o médico e simulou uma morte natural, por envenenamento, talvez. No entanto, é estranho que tenham permitido que um médico a examinasse, a menos que ele fosse cúmplice, o que não é uma hipótese crível.

— Eles não poderiam ter forjado o atestado de óbito?

— Perigoso, Watson, muito perigoso. Não, não os imagino fazendo isso. Pare, cocheiro! Esta, evidentemente, é a agência funerária, pois acabamos de passar pela loja de penhores. Você entraria lá, Watson? Sua aparência inspira confiança. Pergunte a que horas será o funeral de amanhã na Poultney Square.

A mulher da funerária me respondeu sem hesitação que seria às 8h00.

— Como vê, Watson, nenhum mistério; tudo às claras! De algum modo, as formalidades legais sem dúvida foram atendidas, e eles acham que têm pouco a temer. Bem, não resta alternativa senão um ataque frontal direto. Você está armado?

— Com minha bengala!

— Bem, bem, teremos força suficiente. "A arma de quem luta por justiça vale por três." Simplesmente não podemos nos dar ao luxo de esperar a polícia, nem de manter-nos dentro dos limites da lei. Pode ir embora, cocheiro. Agora, Watson, vamos arriscar a sorte juntos, como fizemos ocasionalmente no passado.

Ele tocara com força a campainha de uma grande casa escura no centro da Poultney Square. A porta foi aberta imediatamente, e o contorno de uma mulher alta apareceu na penumbra do corredor.

— Bem, o que desejam? — ela perguntou, ríspida, encarando-nos na escuridão.

— Quero falar com o Dr. Shlessinger — disse Holmes.

— Não há ninguém com esse nome aqui — ela respondeu, e tentou fechar a porta, mas Holmes a bloqueou com o pé.

— Bem, quero ver o homem que mora aqui, seja lá como ele se chame — disse Holmes com firmeza.

Ela hesitou. Então escancarou a porta.

— Bem, entrem! — ela disse. — Meu marido não tem medo de enfrentar homem algum no mundo. — Ela fechou a porta atrás de nós e conduziu-nos a uma sala de estar do lado direito do corredor, acendendo o bico de gás ao sair. — O Sr. Peters virá vê-los num instante — disse.

Suas palavras eram literalmente a verdade, pois mal tivemos tempo de olhar ao redor do apartamento empoeirado e roído por traças onde nos encontrávamos, antes que a porta se abrisse e um homenzarrão barbeado e calvo entrasse com passos suaves na sala. Seu rosto era grande e vermelho, com bochechas flácidas e um ar geral de benevolência superficial, arruinado por uma boca cruel e perversa.

— Certamente houve algum engano aqui, cavalheiros — ele disse, com voz oleosa e apaziguadora. — Imagino que tenham recebido informações erradas. Talvez, se tentarem seguir rua abaixo...

— Já basta; não temos tempo a perder — disse meu colega com firmeza. — Você é Henry Peters, de Adelaide, antes vulgo reverendo Dr. Shlessinger, de Baden e da América do Sul. Tenho tanta certeza disso quanto que meu nome é Sherlock Holmes.

Peters, como irei chamá-lo agora, teve um sobressalto e olhou duramente para seu formidável perseguidor.

— Acho que seu nome não me assusta, Sr. Holmes — ele disse calmamente. — Quando a consciência de um homem está em paz, nada o abala. Que assuntos o trazem à minha casa?

— Quero saber o que fez com lady Frances Carfax, que o acompanhou de Baden até aqui.

— Eu ficaria muito feliz se o senhor pudesse me dizer onde está essa dama — Peters respondeu calmamente. — Tenho uma conta a saldar com ela de quase cem libras, e nada recebi em troca senão um par de pingentes fajutos, que os compradores mal querem olhar. Ela grudou na Sra. Peters e em mim em Baden (é verdade que então eu estava usando outro nome) e permaneceu agarrada a nós até que chegamos a Londres. Paguei sua conta no hotel e sua passagem. Quando chegamos, ela nos abandonou, como eu disse, deixando essas joias obsoletas para saldar suas dívidas. Encontre-a, Sr. Holmes, e ser-lhe-ei muito grato.

— Eu pretendo encontrá-la — disse Sherlock Holmes. — Vasculharei esta casa até encontrá-la.

— Onde está o seu mandado de busca?

Holmes puxou parcialmente um revólver do bolso.

— Este terá que servir até que chegue outro melhor.

— Ora, o senhor é um larápio comum.

— Pode me descrever assim — disse Holmes alegremente. — Meu colega também é um rufião perigoso. E, juntos, vamos vasculhar sua casa.

Nosso oponente abriu a porta.

— Vá chamar um policial, Annie! — ele exclamou. Ouviu-se um farfalhar de saias pelo corredor e a porta abrindo e fechando.

— Nosso tempo é limitado, Watson — disse Holmes. — Se tentar nos impedir, Peters, certamente vai se machucar. Onde está aquele caixão que foi trazido para cá?

— O que querem com o caixão? Ele está em uso. Há um cadáver nele.

— Preciso ver esse cadáver.

— Jamais com meu consentimento.

— Sem ele, então. — Com um movimento rápido, Holmes afastou o sujeito para o lado e passou para o corredor. Uma porta estava semiaberta imediatamente à nossa frente. Entramos. Era a sala de jantar. Sobre a mesa, sob um candelabro parcialmente aceso, jazia o caixão. Holmes abriu o gás e ergueu a tampa. Bem no fundo do caixão jazia uma figura emaciada. O brilho das luzes acima iluminava um rosto envelhecido e murcho. Nenhum processo possível de crueldade, inanição ou doença poderia ter transformado naquela ruína desgastada a ainda bela lady Frances. O rosto de Holmes revelou seu assombro e também seu alívio.

— Graças a Deus! — ele balbuciou. — É outra pessoa.

— Ah, o senhor errou feio para variar, Sr. Sherlock Holmes — disse Peters, que havia nos seguido até a sala.

— Quem é esta morta?

— Bem, se precisa mesmo saber, é a velha ama da minha esposa, chamada Rose Spender, que encontramos na Enfermaria Operária de Brixton. Nós a trouxemos para cá, convocamos o Dr. Horson, residente no número 13 das Firbank Villas, trate de anotar o endereço, Sr. Holmes, e a cercamos de todos os cuidados, como bons cristãos que somos. No terceiro dia, ela morreu, o atestado de óbito indica senilidade como a causa, mas essa é apenas a opinião do médico, como o senhor bem sabe, naturalmente. Encomendamos seu funeral à Stimson and Co., da Kennington Road, que vai enterrá-la amanhã, às 8h00. Consegue ver alguma falha nisso tudo, Sr. Holmes? O senhor cometeu um erro tolo e seria bom que admitisse. Eu daria qualquer coisa para ter uma fotografia do seu rosto boquiaberto e pasmo quando ergueu a tampa, esperando ver lady Frances Carfax, e encontrando apenas uma pobre mulher de 90 anos.

A expressão de Holmes estava impassível como sempre diante da troça de seu antagonista, mas as mãos crispadas traíam seu profundo aborrecimento.

— Vou vasculhar a sua casa — ele disse.

— Vai mesmo! — exclamou Peters, quando uma voz feminina e passos pesados fizeram-se ouvir no corredor. — Isso nós logo veremos. Por aqui, senhores policiais, por gentileza. Estes homens forçaram a entrada na minha casa, e não consigo me livrar deles. Ajudem-me a jogá-los na rua.

Um sargento e um policial estavam parados à porta. Holmes tirou um cartão de sua valise.

— Aqui estão meu nome e meu endereço. Este é meu amigo, o Dr. Watson.

— Que Deus o abençoe, conhecemos muito bem o senhor — disse o sargento —, mas não pode ficar aqui sem um mandado.

— Claro que não, sei disso muito bem.

— Prendam-no! — exclamou Peters.

— Saberemos como pegar este cavalheiro, se ele for procurado — disse o sargento majestosamente —, mas precisa sair daqui, Sr. Holmes.

— Sim, Watson, temos que ir embora.

Um minuto depois, estávamos novamente na rua. Holmes continuava calmo como sempre, mas eu fervia de raiva e humilhação. O sargento nos seguira.

— Desculpe, Sr. Holmes, mas é a lei.

— Exatamente, sargento; o senhor não poderia ter agido de outra forma.

— Imagino que o senhor tivesse um bom motivo para estar ali. Se houver algo que eu possa fazer...

— Uma dama desapareceu, sargento, e achamos que está naquela casa. Espero obter um mandado em breve.

— Então vou ficar de olho nessa gente, Sr. Holmes. Se alguma coisa acontecer, certamente avisarei o senhor.

Eram apenas 21h00, e partimos a todo vapor atrás de nossas pistas novamente. Primeiro fomos para a Enfermaria Operária de Brixton, onde descobrimos que de fato era verdade que um casal caridoso fizera uma visita alguns dias antes, reconhecera uma velha imbecil como sua antiga criada, e obtivera permissão para levá-la embora. Ninguém manifestou surpresa ao saber que ela morrera depois disso.

O médico era o nosso próximo objetivo. Ele fora chamado, encontrara a mulher morrendo de pura senilidade, testemunhara de fato sua morte e assinara o atestado de óbito segundo a praxe.

— Garanto que foi tudo perfeitamente normal e não havia nenhuma possibilidade de um crime nesse caso — ele disse. Nada na casa lhe parecera suspeito, a não ser que, para pessoas daquele nível, era notável que o casal não tivesse nenhum criado. O médico não falou nada além disso.

Finalmente, seguimos para a Scotland Yard. A emissão do mandado esbarrara em algumas dificuldades operacionais. A demora era inevitável. A assinatura do magistrado não poderia ser obtida antes da manhã seguinte. Se Holmes chegasse às 9h00, poderia acompanhar Lestrade e providenciá-la. Assim terminou o dia, à parte que por volta da meia-noite o nosso amigo, o sargento, apareceu para dizer que vira luzes trêmulas aqui e ali nas janelas da grande casa escura, mas que ninguém saíra dela e tampouco entrara. Só nos restava rogar por paciência e esperar o amanhecer.

Sherlock Holmes estava irritadiço demais para conversar e agitado demais para dormir. Deixei-o fumando intensamente, com suas sobrancelhas grossas e escuras franzidas e seus dedos longos e nervosos tamborilando no braço da poltrona, enquanto revirava em sua mente cada possível solução do mistério. Várias vezes durante a noite eu o ouvi vagando pela casa. Finalmente, logo depois que mandaram me chamar pela manhã, ele irrompeu no meu quarto. Estava de roupão, mas seu rosto pálido e seu olhar vazio revelavam que sua noite fora insone.

— A que horas era o funeral? Às 8h00, não? — ele perguntou ansiosamente. — Bem, agora são 7h20. Céus, Watson, o que aconteceu com o cérebro que Deus me deu? Rápido, homem, rápido! É um caso de vida ou morte; cem probabilidades de morte contra uma de vida. Jamais vou me perdoar, jamais, se chegarmos tarde!

Não haviam se passado cinco minutos e estávamos dentro de um *hansom*, voando pela Baker Street. Mesmo assim, eram 7h35 quando passamos pelo Big Ben, e as oito bateram enquanto desabalávamos pela Brixton Road. Mas os outros estavam tão atrasados quanto nós. Dez minutos depois, o carro fúnebre ainda estava parado na porta da casa, e quando nosso cavalo parou, extenuado, o caixão, carregado por três homens, assomou à porta da casa. Holmes saltou para lá e barrou-lhes o caminho.

— Levem-no de volta! — ele bradou, pondo a mão no peito do homem mais próximo. — Levem-no de volta já!

— Que diabos quer dizer? Mais uma vez pergunto, onde está o seu mandado? — urrou o furioso Peters, com o grande rosto vermelho em chamas na outra ponta do caixão.

— O mandado está a caminho. Este caixão ficará na casa até que ele chegue.

A autoridade na voz de Holmes surtira efeito sobre os carregadores. Peters desaparecera de repente dentro da casa, e eles obedeceram as novas ordens.

— Rápido, Watson, rápido! Aqui está uma chave de fenda! — ele gritou, enquanto o caixão era recolocado sobre a mesa. — Aqui está outra para você, meu homem! Um soberano se essa tampa sair em um minuto! Não faça perguntas, mãos à obra! Isso mesmo! Outro! E mais outro! Agora todos juntos, levantem! Está cedendo! Está cedendo! Ah, finalmente conseguimos!

Com um esforço conjunto, erguemos a tampa do caixão. Ao fazê-lo, veio de dentro dele um estupefaciente e opressivo odor de clorofórmio. Um corpo jazia no caixão, com a cabeça toda enrolada em algodão que havia sido encharcado com o narcótico. Holmes o arrancou e descobriu a estatuesca face de uma atraente e espiritual senhora de meia-idade. Num instante, ele passou o braço ao redor da figura e a pôs sentada.

— Ela se foi, Watson? Ainda há um sopro de vida? Certamente não chegamos tarde demais!

Por meia hora, pareceu mesmo ser tarde demais. Em parte pela asfixia, e em parte pela inalação dos vapores tóxicos do clorofórmio, lady Frances aparentava estar além de qualquer esperança de recuperação. E então, finalmente, com respiração artificial, com injeções de éter, com todos os recursos que a ciência podia sugerir, um tênue fio de vida, um tremor das pálpebras, um embaçamento de um espelhinho revelaram a vida que voltava aos poucos. Um táxi chegara, e Holmes, abrindo as persianas, olhou para fora.

— Aí está Lestrade com seu mandado — ele disse. — Vai descobrir que seus pássaros fugiram. E aí — ele acrescentou, ouvindo passos pesados e rápidos no corredor — vem alguém que tem mais direito do que nós de cuidar dessa dama. Bom dia, Sr. Green; acho que quanto antes pudermos transportar lady Frances, melhor. Enquanto isso, o funeral pode prosseguir, e a pobre velhinha que ainda jaz naquele caixão pode ir para seu último lugar de repouso sozinha.

— Se quiser juntar este caso aos seus anais, meu caro Watson — disse Holmes naquela noite —, ele só pode servir como exemplo do eclipse temporário a que até a mente mais equilibrada está exposta. Tais lapsos são comuns a todos os mortais, e grande é aquele que é capaz de reconhecê-los e repará-los. Com tais ressalvas eu possa, talvez, reivindicar algum crédito no caso. Minha noite foi assombrada pela ideia de que em algum momento uma pista, uma frase estranha, uma observação peculiar, fora por mim notada e facilmente demais ignorada. Então, de súbito, na penumbra da manhã, as palavras voltaram à minha mente. Foi o comentário da esposa do agente funerário, relatado por Philip Green. Ela dissera: "Já deveria ter chegado do fabricante. Demorou mais por ser fora do comum". Era do caixão que ela estava falando. Ele era fora do comum. Isso só podia significar que fora encomendado com medidas especiais. Mas por quê? Por quê? Então, num instante, me lembrei das laterais altas e da pequena figura encarquilhada no fundo. Por que um caixão tão grande para um corpo tão pequenino? Para deixar espaço para outro corpo. Ambos seriam enterrados com um único atestado de óbito. Tudo estava tão claro, se apenas minha visão não estivesse tão turva. Às 8h00, lady Frances seria enterrada. Nossa única chance era deter o caixão antes que ele saísse da casa.

"Era uma probabilidade desesperada que tínhamos de encontrá-la viva, mas era uma probabilidade, como o resultado demonstrou. Aquela gente nunca havia, pelo que sei, cometido um assassinato. Talvez abominassem o uso direto da violência, no final. Poderiam enterrá-la sem nenhum sinal de como ela havia sido morta, e mesmo se ela fosse exumada depois, ainda teriam uma chance. Eu esperava que tais considerações prevalecessem sobre eles. Você pode muito bem reconstituir a cena. Viu o horrível antro no andar de cima, onde a pobre dama foi mantida por tanto tempo. Eles entraram correndo, subjugaram-na com clorofórmio, carregaram-na para baixo, derramaram mais dentro do caixão para garantir que ela não acordaria, e então parafusaram a tampa. Um ardil inteligente, Watson. Para mim, é novo nos anais do crime. Se nossos amigos ex-missionários escaparem às garras de Lestrade, espero ficar sabendo de alguns incidentes brilhantes em suas carreiras futuras."

sete

A AVENTURA DO PÉ DO DIABO

Ao registrar de tempos em tempos algumas das curiosas experiências e interessantes reminiscências que associo à minha longa e íntima amizade com o Sr. Sherlock Holmes, enfrentei continuamente dificuldades causadas pela aversão que ele tinha à publicidade. Para seu espírito grave e cínico, todo aplauso popular era sempre abominável, e nada o divertia mais, ao fim de um caso bem-sucedido, do que transferir a exposição para algum oficial ortodoxo, e ouvir com um sorriso zombeteiro o coro geral de congratulações equivocadas. Foi, de fato, essa atitude por parte do meu amigo, e certamente não uma falta de material interessante, que me fez levar a público tão poucos dos meus relatos nos últimos anos. Minha participação em algumas de suas aventuras era sempre um privilégio que me induzia à discrição e à reticência.

Foi, pois, com surpresa considerável que recebi um telegrama de Holmes na última terça-feira — sabe-se que ele jamais escreve cartas quando pode mandar um telegrama —, nos seguintes termos: "Por que não contamos a eles do horror da Cornualha — o caso mais estranho em que já trabalhei?" Não faço ideia de qual refluxo da memória tenha lhe trazido de volta à mente esse assunto, ou que anomalia o levou a desejar que eu o narrasse; mas me apresso, antes que chegue outro telegrama de cancelamento, em caçar as anotações que trazem os detalhes exatos do caso e em apresentar a narrativa aos meus leitores.

Foi, então, na primavera do ano de 1897 que a férrea constituição de Holmes revelou alguns sintomas de abalo, face ao constante trabalho duro, da natureza mais exaustiva, agravado, talvez, por suas ocasionais indiscrições. Em março daquele ano, o Dr. Moore Agar, da Harley Street, cuja dramática apresentação a Holmes algum dia eu talvez relate, deu positivas injunções para que o famoso detetive particular deixasse de lado todos os seus casos e se entregasse ao repouso total, se desejava evitar um colapso absoluto. O estado de sua saúde não era um assunto no qual ele tinha o mínimo interesse, pois seu distanciamento mental era absoluto, mas ele foi induzido, finalmente — sob a ameaça de ficar permanentemente inapto para o trabalho —, a entregar-se a uma mudança completa de ambiente e de ares. Foi assim que, no início da primavera daquele ano, vimo-nos os dois num pequeno chalé perto da Baía de Poldhu, na extremidade da península da Cornualha.

Era um local singular e peculiarmente adequado ao humor amargo do meu paciente. Das janelas de nossa casinha caiada, que ficava no alto de um promontório verdejante, contemplávamos lá embaixo todo o semicírculo da Baía de Mounts, aquela velha armadilha para embarcações, com suas margens de penhascos negros e recifes castigados pelas ondas, sobre os quais incontáveis marinheiros encontraram seu fim. Com a brisa do norte, ela jaz plácida e abrigada, convidando as naus agitadas pela tempestade a procurar nela repouso e proteção.

Então vem a mudança repentina do vento, a encapelada procela do sudoeste, a âncora arrastada, a costa a sotavento, e a última batalha entre vagalhões espumosos. O marinheiro sábio mantém distância daquele lugar perverso.

Do lado da terra firme, nossos arredores eram tão sombrios quando o lado da costa. Era uma região de morros úmidos e contínuos, solitários e cinzentos, com uma torre de igreja ocasional para indicar alguma aldeia antiga. Em todas as direções, sobre esses morros, havia rastros de alguma raça desaparecida, que se extinguira deixando como seu único registro estranhos monumentos de pedra, montes irregulares que continham as cinzas queimadas dos mortos e curiosas trincheiras que sugeriam alguma rusga pré-histórica. O charme e mistério do lugar, com sua atmosfera sinistra de nações esquecidas, estimulavam a imaginação do meu amigo, e ele passava boa parte de seu tempo fazendo longas caminhadas e meditações solitárias pelo terreno pantanoso. O idioma ancestral da Cornualha também lhe chamava a atenção, e lembro que ele tivera a ideia de que tal idioma derivava do caldeu, e que fora trazido em grande parte pelos comerciantes fenícios de estanho. Ele recebera um pacote de livros sobre filologia e estava se preparando para desenvolver essa tese quando de repente, para minha angústia e seu autêntico deleite, nós nos vimos, mesmo naquela terra de sonhos, mergulhados num problema bem próximo de nós, que era mais intenso, mais envolvente, e infinitamente mais misterioso do que qualquer um daqueles que nos haviam afastado de Londres. Nossa vida simples e nossa rotina pacata e saudável foram violentamente interrompidas, e vimo-nos precipitados em meio a uma série de acontecimentos que causavam forte agitação não só na Cornualha, mas por todo o oeste da Inglaterra. Muitos dos meus leitores devem ter alguma lembrança do que foi batizado na época "O Horror da Cornualha", embora o relato do assunto que chegou à imprensa londrina fosse bastante imperfeito. Agora, treze anos depois, revelarei os verdadeiros detalhes desse inconcebível caso ao público.

Eu disse que torres esparsas marcavam as aldeias que pontilhavam aquela parte da Cornualha. A mais próxima delas era o povoado de Tredannick Wollas, onde os chalés de uns duzentos habitantes se apinhavam ao redor de uma igreja antiga, coberta de musgo. O pastor da paróquia, Sr. Roundhay, era uma espécie de arqueólogo, e por isso Holmes se aproximara dele. Era um homem de meia-idade, gorducho e afável, com conhecimentos consideráveis das tradições locais. A convite dele, tomamos chá na residência paroquial e fomos apresentados também ao Sr. Mortimer Tregennis, um cavalheiro independente, que incrementava os escassos recursos do religioso hospedando-se na espaçosa casa deste último. O pastor, sendo solteiro, estava feliz com esse arranjo, embora tivesse pouco em comum com seu hóspede, que era um homem magro, moreno, de óculos, com costas encurvadas que davam a impressão de uma real deformidade física. Lembro que durante nossa breve visita achamos o pastor gárrulo, mas seu hóspede estranhamente reticente, um homem tristonho e introspectivo, desviando o olhar, aparentemente preocupado com seus próprios assuntos.

Esses eram os dois homens que entraram abruptamente em nossa pequena sala de estar na terça-feira, 16 de março, pouco depois de nosso desjejum, quando fumávamos juntos, em preparação para nossa excursão diária aos pantanosos morros.

— Sr. Holmes — disse o pastor, com voz agitada —, o fato mais extraordinário e trágico aconteceu durante a noite. Foi algo totalmente inusitado. Só podemos interpretar como uma bênção da Providência o fato de o senhor por acaso estar aqui no momento, pois em toda a Inglaterra é o homem de que precisamos.

Eu encarei o pastor intruso sem muita cordialidade no olhar; mas Holmes tirou o cachimbo dos lábios e empertigou-se em sua poltrona como um velho sabujo que ouve o alerta numa caçada à raposa. Ele gesticulou indicando o sofá, e nosso trêmulo visitante, com seu agitado colega, sentaram-se nele lado a lado. O Sr. Mortimer Tregennis estava mais controlado do que o clérigo, mas o tremor de suas mãos finas e o brilho de seus olhos escuros indicavam que os dois eram movidos pela mesma emoção.

— Eu falo ou o senhor? — ele perguntou ao pastor.

— Bem, como o senhor parece ter feito a descoberta, seja lá qual for, e o pastor ouviu falar dela depois, talvez seja melhor que o senhor conte — disse Holmes.

Olhei para o clérigo vestido às pressas, ao lado de seu hóspede mais formalmente trajado, e me diverti com a surpresa que a simples dedução de Holmes trouxe aos seus rostos.

— Talvez seja melhor que eu diga algumas palavras antes — disse o pastor —, e então pode julgar se prefere ouvir os detalhes do Sr. Tregennis ou se devemos correr imediatamente para o local desse misterioso evento. Posso explicar, então, que nosso amigo aqui passou a noite de ontem na companhia de seus dois irmãos, Owen e George, e de sua irmã, Brenda, na casa destes em Tredannick Wartha, que fica perto da velha cruz de pedra sobre o morro. Ele os deixou pouco depois das 22h00, jogando cartas à mesa da sala de jantar, todos com excelente saúde e disposição. Esta manhã, por ser madrugador, ele caminhava naquela direção antes do desjejum quando foi alcançado pela carruagem do Dr. Richards, que explicou que acabara de ser chamado com a maior urgência a Tredannick Wartha. O Sr. Mortimer Tregennis naturalmente o acompanhou. Ao chegar a Tredannick Wartha, ele encontrou uma situação extraordinária. Seus dois irmãos e a irmã estavam sentados à mesa exatamente como ele os deixara, com as cartas ainda espalhadas diante de si e as velas derretidas até a base. A irmã estava morta, fulminada em sua cadeira, enquanto os dois irmãos, de um lado e do outro dela, riam, gritavam e cantavam, completamente privados da razão. Os três, a mulher morta e os dois homens ensandecidos, conservavam no rosto uma expressão do mais completo horror, uma terrível convulsão que era pavorosa de se ver. Não havia sinal da presença de mais ninguém na casa, exceto a Sra. Porter, a velha cozinheira e governanta, que declarou que dormira profundamente e não ouvira som algum durante a noite. Nada fora roubado ou desarrumado, e não há absolutamente nenhuma explicação de qual poderia ter sido o horror capaz de matar uma mulher e enlouquecer dois homens fortes. Essa é a situação, Sr. Holmes, em poucas palavras, e se o senhor puder nos ajudar a esclarecê-la, terá feito um ótimo trabalho.

 Eu esperava de alguma maneira poder trazer meu colega de volta à quietude que era o objetivo de nossa jornada; mas bastou olhar para seu rosto concentrado e suas sobrancelhas franzidas para entender quão vã era agora essa expectativa. Ele se manteve por um momento em silêncio, absorto no estranho drama que invadira nossa paz.

— Examinarei o assunto — ele disse finalmente. — À primeira vista, parece um caso de natureza assaz excepcional. Esteve lá pessoalmente, Sr. Roundhay?

— Não, Sr. Holmes. O Sr. Tregennis trouxe a notícia ao regressar à casa paroquial, e eu imediatamente vim com ele consultar o senhor.

— A que distância fica a casa onde ocorreu essa singular tragédia?

— A cerca de um quilômetro e meio na direção do interior.

— Então iremos juntos a pé para lá. Mas antes de partirmos, preciso lhe fazer algumas perguntas, Sr. Mortimer Tregennis.

O outro conservara-se em silêncio todo o tempo, mas eu observei que sua agitação mais contida era até maior do que a emoção pronunciada do clérigo. Seu rosto estava pálido e tenso, seu olhar ansioso, fixo em Holmes, e suas mãos finas, convulsivamente unidas. Seus lábios pálidos tremiam ao ouvir a pavorosa experiência que acometera sua família e seus olhos negros pareciam refletir parte do horror da cena.

— Pergunte o que quiser, Sr. Holmes — ele disse ansiosamente. — É muito ruim falar disso, mas responderei com a verdade.

— Conte-me sobre a noite passada.

— Bem, Sr. Holmes, eu jantei ali, como o pastor disse, e meu irmão mais velho, George, propôs uma rodada de uíste em seguida. Sentamo-nos para jogar por volta das 21h00.

A AVENTURA DO PÉ DO DIABO

Eram 22h15 quando me levantei para partir. Eu os deixei todos ao redor da mesa, mais alegres do que nunca.

— Quem o levou até a porta?

— A Sra. Porter já havia se recolhido, por isso saí sozinho. Fechei a porta da rua atrás de mim. A janela da sala onde eles jogavam estava fechada, mas a persiana não estava abaixada. Não havia nenhuma alteração na porta ou na janela esta manhã, tampouco qualquer motivo para crer que algum estranho tivesse entrado na casa. No entanto, lá estavam eles, completamente loucos de terror, e Brenda morta de susto, com a cabeça apoiada no braço da cadeira. Jamais conseguirei tirar a imagem daquela sala da minha mente, enquanto eu viver.

— Os fatos, como o senhor os narra, certamente são dignos de nota — disse Holmes. — Suponho que não tenha nenhuma teoria que possa de alguma forma explicá-los.

— É demoníaco, Sr. Holmes; demoníaco! — exclamou Mortimer Tregennis. — Não é deste mundo. Algo entrou naquela sala e extinguiu a luz da razão em suas mentes. Que estratagema humano poderia fazer isso?

— Temo — disse Holmes — que se a questão for além da humanidade, certamente estará além da minha capacidade. No entanto, precisamos esgotar todas as explicações naturais antes de recorrer a tal teoria. Sr. Tregennis, suponho que estivesse de alguma forma afastado de sua família, já que eles moravam juntos e o senhor em outro lugar.

— De fato, Sr. Holmes, embora a questão já estivesse superada e resolvida. Éramos uma família de mineradores de estanho em Redruth, mas vendemos nossa mina para uma empresa, e assim nos aposentamos com o suficiente para nos manter. Não nego que houve alguma exaltação envolvendo a divisão do dinheiro, e que isso nos afastou por algum tempo, mas tudo foi perdoado e esquecido, e voltamos a ser os melhores amigos.

— Pensando na noite que passaram juntos, qualquer coisa se sobressai em sua memória que possa lançar alguma luz sobre a tragédia? Pense com cuidado, Sr. Tregennis, pois toda pista pode me ajudar.

— Não há nada mesmo, senhor.

— O humor de seus familiares era normal?

— Nunca esteve melhor.

— Eles eram pessoas nervosas? Alguma vez demonstraram qualquer apreensão de perigo iminente?

— Nada do tipo.

— Não tem nada a acrescentar, então, que possa me auxiliar?

Mortimer Tregennis refletiu intensamente por um momento.

— Uma coisa me ocorre — ele disse por fim. — Quando nos sentamos à mesa, eu estava de costas para a janela, e meu irmão George, por ser meu parceiro no jogo, estava de frente para ela. Vi-o uma vez olhar com atenção por cima do meu ombro, por isso me virei e também olhei. A persiana estava recolhida e a janela, fechada, mas eu podia distinguir os arbustos do jardim, e pareceu-me por um momento ter visto algo se movendo entre eles. Não sei dizer nem se era humano ou animal, mas achei que havia algo lá. Quando perguntei ao meu irmão o que estava olhando, ele me disse que tivera a mesma sensação. Isso é tudo o que posso dizer.

— O senhor não investigou?

— Não; achamos o fato sem importância.

— Deixou-os, então, sem premonição de mal algum?

— Absolutamente nenhuma.

— Não sei ao certo como ficou sabendo disso tão cedo hoje.

— Eu sou madrugador e costumo fazer uma caminhada antes do desjejum. Esta manhã, eu mal havia começado quando o médico me alcançou em sua carruagem. Ele me disse que a velha Sra. Porter enviara um menino com um recado urgente. Saltei para dentro ao lado dele e seguimos viagem. Quando chegamos, examinamos aquela sala horripilante. As velas e o fogo da lareira deviam ter-se extinguido horas antes, e eles permaneceram ali, na escuridão, até o raiar do dia. O médico disse que Brenda devia estar morta havia pelos menos seis horas. Não encontramos sinais de violência. Ela estava deitada sobre o braço da cadeira, com aquela expressão no rosto. George e Owen cantavam trechos de canções e tartamudeavam como dois grandes símios. Oh, era horrível de se ver! Eu não conseguia suportar, e o doutor estava pálido como um lençol. De fato, ele desabou sobre uma poltrona numa espécie de desmaio e quase tivemos que socorrê-lo também.

— Notável, muito notável! — disse Holmes, levantando-se e pegando seu chapéu. — Acho que talvez seja melhor irmos para Tredannick Wartha sem mais delongas. Confesso que raramente soube de algum outro caso que apresentasse à primeira vista um problema mais singular.

Nossas ações daquela primeira manhã pouco serviram para adiantar a investigação. Ela foi marcada, no entanto, desde o início por um incidente que deixou a impressão mais sinistra em minha mente. A aproximação do lugar onde a tragédia acontecera é feita por uma estrada rural estreita e tortuosa. Enquanto a percorríamos, ouvimos o chocalhar de uma carruagem vindo em nossa direção e pusemo-nos de lado para deixá-la passar. Quando ela nos alcançou, vi de relance pela janela fechada um rosto horrivelmente retorcido e sorridente nos encarando. Aqueles olhos esbugalhados e dentes rangendo passaram por nós como uma visão pavorosa.

— Meus irmãos! — exclamou Mortimer Tregennis, branco até nos lábios. — Vão levá-los para Helston.

Olhamos horrorizados a carruagem negra sacolejando pelo caminho. Então voltamos nossos passos para a nefasta casa onde eles haviam encontrado seu estranho destino.

Era uma moradia grande e brilhante, mais uma mansão do que um chalé, com um jardim considerável que já estava, naquele ar da Cornualha, bem recoberto de flores primaveris. A janela da sala de estar dava para esse jardim, e dele, de acordo com Mortimer Tregennis, deveria ter vindo aquela coisa perversa que, de puro horror, num só instante explodira suas mentes. Holmes andou lenta e pensativamente entre os vasos de flores e à beira do caminho antes de entrarmos. Lembro que ele estava tão absorto em seus devaneios que tropeçou num regador, derramando seu conteúdo, que encharcou nossos pés e o caminho do jardim. Dentro da casa, fomos recebidos pela velha governanta nativa, a Sra. Porter, a qual, com a ajuda de uma garota, atendia às necessidades da família. Ela respondeu prontamente todas as perguntas de Holmes. Não ouvira nada durante a noite. Seus patrões estavam de excelente humor ultimamente, e ela jamais os vira mais alegres e prósperos. Desmaiara de horror ao entrar na sala pela manhã e ver aquela reunião medonha ao redor da mesa. Ao se recuperar, abrira a janela para deixar o ar matinal entrar, e correra pela estrada, de onde mandara um garoto da fazenda chamar o médico. A madame estava em sua cama no andar de cima, caso quiséssemos vê-la. Foram necessários quatro homens fortes para arrastar os irmãos até a carruagem do hospício. Ela mesma não iria ficar na casa nem mais um dia, e partiria naquela tarde para reunir-se à sua família em St. Ives.

Subimos a escada e vimos o corpo. A Srta. Brenda Tregennis fora uma moça muito linda, embora já estivesse se aproximando da meia-idade. Seu rosto moreno, de traços bem definidos, era atraente até na morte, mas ainda se via nele um pouco daquela convulsão de horror que fora sua última emoção humana. Do quarto dela, descemos para a sala onde aquela estranha tragédia se desenrolara. As cinzas do fogo que ardera a noite inteira jaziam na trempe. Sobre a mesa estavam as quatro velas derretidas e consumidas, com as cartas espalhadas sobre o tampo. As cadeiras haviam sido encostadas nas paredes, mas todo o resto estava como na noite anterior. Holmes andava pela sala com passos leves e rápidos; sentou-se nas várias cadeiras, puxando-as e reconstituindo suas posições. Verificou quanto do jardim era visível; examinou o assoalho, o forro e a lareira; mas em nenhum momento vi aquele brilho repentino nos olhos e a compressão dos lábios que ter-me-iam indicado que ele vira algum raio de luz naquela escuridão total.

— Por que o fogo aceso? — ele perguntou, uma vez. — Sempre mantinham o fogo aceso nesta saleta, numa noite de primavera?

Mortimer Tregennis explicou que a noite estava fria e úmida. Por esse motivo, após sua chegada, o fogo foi aceso.

— O que vai fazer agora, Sr. Holmes? — ele perguntou.

Meu amigo sorriu e apoiou a mão no meu braço.

— Eu acho, Watson, que vou retomar aquela rotina de envenenamento por tabaco que você tão amiúde e justamente condenava — ele disse. — Com sua permissão, cavalheiros, agora voltaremos ao nosso chalé, pois não me consta que qualquer fato novo possa chamar nossa atenção aqui. Processarei os fatos mentalmente, Sr. Tregennis, e se algo me ocorrer, certamente entrarei em contato com o senhor e o pastor. Enquanto isso, desejo um bom dia a ambos.

Não passou muito tempo depois de regressarmos ao chalé de Poldhu até que Holmes rompesse seu completo e absorto silêncio. Ele estava encolhido em sua poltrona, com o rosto esgotado e ascético quase invisível em meio aos eflúvios azuis do fumo do seu cachimbo, as sobrancelhas negras franzidas, a testa contraída, os olhos perdidos e distantes. Finalmente, ele largou o cachimbo e saltou de pé.

— Não adianta, Watson! — ele disse rindo. — Vamos andar juntos pelos penhascos e procurar flechas de pedra lascada. Temos mais probabilidade de encontrá-las do que de achar pistas nesse caso. Deixar o cérebro funcionar sem material suficiente é como acelerar ao máximo um motor. Ele se despedaça. Ar marinho, sol e paciência, Watson; todo o resto virá.

"Agora, vamos definir calmamente nossa posição, Watson", ele continuou, enquanto contornávamos juntos os penhascos. "Vamos nos aferrar com firmeza ao pouco que *sabemos*, a fim de que, quando novos fatos surgirem, possamos estar prontos para encaixá-los em seus lugares. Imagino, em primeiro lugar, que não estejamos preparados a admitir a existência de intrusões diabólicas nos assuntos dos homens. Vamos começar tirando isso totalmente da cabeça. Muito bem. Restam três pessoas que foram gravemente atingidas por algum agente humano, consciente ou inconsciente. Isso é uma base firme. Então, quando isso aconteceu? Evidentemente, pressupondo-se que sua narrativa seja verdadeira, foi imediatamente depois que o Sr. Mortimer Tregennis saiu da sala. Esse é um detalhe muito importante. A suposição é que tenha sido alguns minutos depois. As cartas ainda estavam sobre a mesa. Já passava da hora em que eles costumeiramente se deitavam. No entanto, eles não mudaram de posição, nem empurraram as cadeiras para trás. Repito, então, que o acontecimento se deu imediatamente após a partida de Mortimer Tregennis, e não mais tarde do que as 23h00 de ontem.

"Nosso próximo e óbvio passo é verificar, os movimentos de Mortimer Tregennis depois que ele saiu da sala. Nisso não há dificuldade, e eles parecem ser acima de qualquer suspeita. Conhecendo meus métodos como conhece, você percebeu, é claro, o expediente um tanto desajeitado do regador, pelo qual obtive uma pegada de Tregennis mais clara do que teria sido possível de outra maneira. O caminho úmido e arenoso a registrou admiravelmente. Noite passada também choveu, você deve lembrar, e não foi difícil — depois de obter a amostra de sua pegada — distinguir seu rastro entre o dos outros e seguir seus movimentos. Ele parece ter-se afastado velozmente na direção da casa paroquial.

Se, portanto, Mortimer Tregennis desapareceu do local, e mesmo assim alguma pessoa de fora afetou os jogadores, como podemos reconstruir essa pessoa, e como uma tal impressão de horror foi transmitida? A Sra. Porter pode ser descartada.

Ela é evidentemente inofensiva. Há alguma evidência de que alguém se esgueirou até a janela do jardim e de alguma maneira produziu um efeito tão terrível a ponto de destruir o juízo daqueles que o viram? A única sugestão nessa direção vem do próprio Mortimer Tregennis, que diz que seu irmão falou sobre algum movimento no jardim. Isso certamente é notável, pois a noite era chuvosa, nublada e escura. Qualquer um que tivesse o desígnio de alarmar essas pessoas ver-se-ia compelido a encostar o rosto na vidraça para ser visto. Há um canteiro de flores de quase um metro de largura sob essa janela, mas nenhuma indicação de uma pegada. É difícil imaginar, então, como alguém de fora poderia ter causado uma impressão tão terrível nos convivas, tampouco encontramos qualquer motivo possível para uma intentona tão estranha e elaborada. Percebe nossas dificuldades, Watson?"

— São claras até demais — respondi com convicção.

— Todavia, com um pouco mais de material, poderemos provar que não são intransponíveis — disse Holmes. — Imagino que em seus extensos arquivos, Watson, você encontrará outras que eram quase tão obscuras quanto estas. Entrementes, deixaremos o caso de lado até que dados mais precisos estejam disponíveis e devotaremos o resto de nossa manhã à busca pelo homem neolítico.

Já devo ter comentado o poder de distanciamento mental do meu amigo, mas jamais ele me maravilhou mais do que naquela manhã de primavera na Cornualha, quando durante duas horas discorreu sobre celtas, pontas de flechas e lascas de pedra, tão despreocupadamente como se nenhum mistério sinistro estivesse aguardando uma solução. Só depois de retornarmos à tarde para nosso chalé encontramos um visitante à nossa espera que logo trouxe o problema em questão de volta às nossas mentes. Não precisávamos que ninguém nos contasse quem era a visita. O corpanzil, o rosto anguloso com rugas profundas, olhos ferozes e nariz aquilino, o cabelo grisalho que quase roçava no forro do nosso chalé, a barba — dourada nas bordas e branca perto dos lábios, salvo pelas manchas de nicotina do seu perpétuo charuto —, todos esses detalhes eram tão conhecidos em Londres quanto na África, e só poderiam ser associados à tremenda personalidade do Dr. Leon Sterndale, o grande caçador de leões e explorador.

Soubéramos de sua presença na região, e uma ou duas vezes avistáramos sua silhueta alta nas trilhas do terreno pantanoso. Ele não nos abordara, no entanto, tampouco sonharíamos fazê--lo, pois sabia-se bem que era seu amor pelo isolamento que o levava a passar a maior parte dos intervalos entre suas jornadas num pequeno bangalô mergulhado na floresta solitária de Beauchamp Arriance. Ali, entre seus livros e mapas, ele levava uma vida absolutamente solitária, cuidando de suas necessidades simples, e aparentemente dando pouca atenção aos assuntos de seus vizinhos. Foi uma surpresa para mim, portanto, ouvi-lo perguntar a Holmes com voz ansiosa se este havia feito qualquer progresso em sua reconstituição do misterioso episódio.

— A polícia local está totalmente perdida — ele disse —; mas talvez a experiência do senhor, mais ampla, tenha sugerido alguma explicação concebível. Minha única justificativa para lhe pedir tais confidências é que durante minhas muitas estadas aqui, passei a conhecer a família Tregennis muito bem; de fato, pelo lado da minha mãe, que é da Cornualha, eu poderia chamá-los de primos, e o estranho destino que tiveram, naturalmente, foi um grande choque para mim. Posso dizer que eu já estava em Plymouth, a caminho da África, mas a notícia me alcançou esta manhã, e voltei imediatamente para ajudar na investigação.

Holmes ergueu as sobrancelhas.

— Perdeu seu navio para isso?

— Embarcarei no próximo.

— Céus! Isso é amizade de verdade.

— Como falei, eles são parentes.

— Deveras, primos da sua mãe. Sua bagagem estava a bordo do navio?

— Parte dela, mas a maior parte ficou no hotel.

— Entendo. Mas certamente este acontecimento não chegou a aparecer nos jornais matutinos de Plymouth?

— Não, senhor; eu recebi um telegrama.

— Posso perguntar de quem?

Uma sombra passou pelo rosto ossudo do explorador.

— É muito inquisidor, Sr. Holmes.

— É o meu trabalho.

Com um esforço, o Dr. Sterndale recuperou sua abalada compostura.

— Não faço objeção alguma a lhe contar — ele disse. — Foi o Sr. Roundhay, o pastor, quem enviou o telegrama que me trouxe de volta.

— Obrigado — disse Holmes. — Devo dizer, em resposta à sua pergunta inicial, que ainda não aclarei minha mente por completo sobre esse caso, mas que tenho grandes esperanças de chegar a alguma conclusão. Seria prematuro dizer mais.

— Talvez não se importasse em me contar se suas suspeitas apontam especificamente em alguma direção?

— Não, não posso responder isso.

— Então perdi meu tempo e não preciso prolongar minha visita. — O famoso explorador marchou para fora de nosso chalé num mau humor considerável, e cinco minutos depois Holmes o seguiu. Eu não o vi mais até o anoitecer, quando ele voltou com passos lentos e um rosto exausto que me asseguravam que ele não fizera grandes progressos em sua investigação. Ele olhou de relance para um telegrama que o esperava e jogou-o na trempe.

— Do hotel em Plymouth, Watson — ele disse. — Descobri o nome por meio do pastor e telegrafei para me certificar de que o relato do Dr. Leon Sterndale era verdadeiro. Ao que parece, ele de fato passou a noite de ontem ali e realmente permitiu que parte de sua bagagem seguisse para a África, enquanto voltava para estar presente nesta investigação. O que acha disso, Watson?

— Ele está profundamente interessado.

— Profundamente interessado, sim. Existe uma linha aí que ainda não seguimos e que pode nos guiar pelo emaranhado. Alegre-se, Watson, pois estou muito certo de que o material ainda não está todo ao nosso alcance. Quando estiver, talvez nossas dificuldades logo fiquem para trás.

Mal sabia eu quão cedo as palavras de Holmes tornar-se-iam realidade, ou quão estranho e sinistro seria esse desdobramento, que abriria uma linha completamente nova de investigação. Eu estava me barbeando perto da minha janela pela manhã quando ouvi o bater de cascos, e, erguendo a cabeça, vi uma carroça desabalando em galope pela estrada. Ela parou na nossa porta, e nosso amigo, o pastor, saltou dela e correu pelo jardim. Holmes já estava vestido, e nos apressamos em recebê-lo.

Nosso visitante estava tão exaltado que mal conseguia articular a fala, mas por fim, aos trancos e borbotões, despejou sua trágica história.

— Estamos tomados pelos demônios, Sr. Holmes! Minha pobre paróquia está tomada por demônios! — ele exclamou. — O próprio Satanás está à solta nela! Estamos em suas mãos imundas! — Em sua agitação, ele saltitava de uma forma que seria ridícula, não fossem seu rosto lívido e seu olhar apavorado. Finalmente, ele revelou sua terrível notícia.

— O Sr. Mortimer Tregennis morreu durante a noite, e exatamente com os mesmos sintomas do resto de sua família.

Holmes saltou de pé, cheio de energia num instante.

— Pode levar-nos a ambos em sua carroça?

— Sim, posso.

— Então, Watson, adiaremos nosso desjejum. Sr. Roundhay, estamos inteiramente à sua disposição. Depressa; depressa, antes que as coisas sejam alteradas.

O hóspede ocupava dois cômodos na casa paroquial, que ficavam num canto, um acima do outro. O de baixo era uma grande sala de visitas; o de cima, o dormitório. Os cômodos davam para um campo de *croquet*, que se estendia até as janelas. Chegáramos antes do médico ou da polícia, de modo que tudo estava absolutamente intocado. Permitam-me descrever a cena exatamente como a vimos naquela enevoada manhã de março. Ela deixou uma impressão que jamais poderá ser apagada da minha mente.

A atmosfera da sala era de um horrível e deprimente abafamento. A criada que entrara primeiro abrira a janela, ou o ambiente estaria ainda mais intolerável. Isso poderia dever-se em parte ao fato de que uma lanterna ardia e fumegava sobre a mesa. Ao lado dela, o morto estava sentado, jogado sobre a cadeira, com a fina barba erguida, os óculos sobre a testa e seu rosto magro e moreno virado para a janela e deformado pela mesma distorção de terror que marcara o semblante de sua falecida irmã. Seus membros estavam retesados, e os dedos, crispados, como se ele tivesse morrido num verdadeiro paroxismo de pavor. Ele estava completamente trajado, embora houvesse sinais de que se vestira às pressas. Já havíamos descoberto que sua cama fora usada e que o fim trágico o acometera no início da manhã.

Percebia-se a energia incandescente por baixo do exterior fleumático de Holmes ao ver-se a mudança repentina que nele se verificou assim que entrou naqueles fatais aposentos. Num instante, ele estava tenso e alerta, com os olhos brilhando, o rosto contraído, os membros tremendo em sôfrega atividade. Ele andou pelo gramado, entrou pela janela, perambulou pela sala e subiu ao dormitório, lembrando exatamente um lépido cão de caça desentocando uma raposa. No dormitório, fez uma rápida averiguação e terminou por escancarar a janela, o que pareceu lhe dar algum novo motivo de empolgação, pois ele se debruçou para fora emitindo altas interjeições de interesse e deleite. Então desabalou escada abaixo, saiu pela janela aberta, jogou-se de bruços sobre o gramado, saltou e entrou na sala mais uma vez, tudo com a energia do caçador que está nos calcanhares de sua presa. A lanterna, que era de um tipo comum, ele examinou com minucioso cuidado, fazendo certas medições em seu bojo. Ele meticulosamente esquadrinhou com sua lupa a camada de finíssima cinza ao redor da abertura e raspou parte da que estava na borda superior, guardando-a num envelope, que enfiou em sua carteira. Finalmente, no momento em que o médico e a polícia oficial faziam sua aparição, ele chamou o pastor, e nós três saímos para o gramado.

— Fico feliz em dizer que minha investigação não foi totalmente infrutífera — ele comentou. — Não posso quedar-me para discutir o assunto com a polícia, mas ficaria imensamente grato, Sr. Roundhay, se transmitisse ao inspetor meus cumprimentos e chamasse a atenção dele para a janela do dormitório e a lanterna na sala. Cada uma delas é sugestiva, e juntas, são quase conclusivas. Se a polícia desejar informações adicionais, ficarei feliz em receber seus agentes no chalé. E agora, Watson, acho que talvez tenhamos mais serventia em outro lugar.

Pode ser que a intrusão de um amador incomodasse a polícia, ou que ela se imaginasse seguindo alguma linha investigativa auspiciosa; mas o certo é que nada soubemos dela durante os dois dias seguintes. Nesse ínterim, Holmes passou parte de seu tempo fumando e sonhando no chalé; mas a maior parte em caminhadas pelo campo que ele empreendia sozinho, voltando após várias horas, sem comentar onde estivera. Um experimento serviu para me revelar sua linha de investigação. Ele comprara uma lanterna que era uma cópia exata da que ardia na sala de Mortimer Tregennis na manhã da tragédia. Encheu-a com o mesmo óleo que era usado na casa paroquial e cronometrou cuidadosamente o tempo que levava para se extinguir. Outro experimento que ele realizou era de natureza mais desagradável, e é bem pouco provável que eu venha a esquecê-lo um dia.

— Você deve lembrar, Watson — ele comentou uma tarde —, que há um único ponto semelhante entre os vários relatos que nos chegaram. Ele se refere ao efeito da atmosfera do ambiente, em cada caso, sobre aqueles que nele primeiro entraram. Lembra que Mortimer Tregennis, ao descrever o episódio de sua última visita à casa do irmão, comentou que o médico, ao entrar na sala, desabou numa poltrona? Esqueceu? Bem, posso garantir que foi assim. Agora, você deve lembrar também que a Sra. Porter, a governanta, contou que ela própria desmaiou ao entrar na sala, e em seguida abriu a janela. No segundo caso, o do próprio Mortimer Tregennis, com certeza você se recorda do horrível abafamento da sala quando entramos, embora a criada tivesse escancarado a janela. Aquela criada, descobri ao investigar, sentiu-se tão mal que estava deitada. Você vai admitir, Watson, que esses fatos são muito sugestivos. Em cada caso, há evidências de uma atmosfera venenosa. Em cada caso, também, há uma combustão acontecendo na sala; num caso, o fogo da lareira, no outro, uma lanterna. A lareira era necessária, mas a lanterna foi acesa, como uma comparação do óleo consumido demonstrará, muito tempo depois de o dia amanhecer. Por quê? Certamente porque há alguma conexão entre três coisas, a combustão, a atmosfera abafada e, finalmente, a loucura ou morte desses infelizes. Isso está claro, não está?

— Parece que sim.

— Ao menos podemos aceitar isso como uma hipótese provisória. Suporemos, então, que algo foi queimado em cada caso e produziu uma atmosfera que causava estranhos efeitos tóxicos. Muito bem. Na primeira instância, a da família Tregennis, essa substância foi colocada na lareira. A janela estava fechada, mas o fogo, naturalmente, faria parte dos eflúvios subir pela chaminé. Portanto, esperar-se-ia que os efeitos do veneno fossem menores do que no segundo caso, onde havia menos saída para os vapores. O resultado parece indicar que foi assim, já que no primeiro caso somente a mulher, que tinha presumivelmente o organismo mais sensível, foi morta, enquanto os outros exibiram essa demência temporária ou definitiva que é claramente o primeiro efeito da droga. No segundo caso, o resultado foi completo. Os fatos, portanto, parecem corroborar a teoria de um veneno que age por combustão.

"Com essa linha de raciocínio na cabeça, naturalmente eu examinei a sala de Mortimer Tregennis para encontrar algum resto dessa substância. O lugar mais óbvio para procurá-la era a cinza acumulada na capa de fumaça da lanterna. Ali, de fato, percebi vários flocos de cinza, e nas bordas um contorno de pó amarronzado que ainda não havia sido consumido. Metade dele eu coletei, como você viu, e pus num envelope."

— Por que metade, Holmes?

— Não me arrogo o direito, meu caro Watson, de atrapalhar a força policial oficial. Deixo a ela todas as evidências que encontro. O veneno ainda estava naquele pó, caso os policiais tivessem a presença de espírito de encontrá-lo. Agora, Watson, vamos acender nossa lanterna; tomaremos, todavia, a precaução de abrir a janela, para evitar o falecimento prematuro de dois dignos membros da sociedade, e você vai se sentar perto daquela janela aberta numa poltrona, a menos que, como pessoa sensata, decida não se envolver no assunto. Ah, vai participar, então? Achei mesmo que conhecia meu Watson. Esta poltrona vou colocar na frente da sua, para que fiquemos à mesma distância do veneno, e frente a frente. A porta, deixaremos aberta. Cada um está agora em posição de vigiar o outro e encerrar o experimento, caso os sintomas se tornem alarmantes. Está tudo claro? Bem, então, vou retirar o pó, ou o que resta dele, do envelope, e colocá-lo sobre a lanterna acesa. Pois bem! Agora, Watson, vamos nos sentar e aguardar os desdobramentos.

Eles não demoraram a vir. Eu mal me acomodara em minha poltrona e já percebi um forte odor almiscarado, sutil e nauseabundo. Ao primeiro contato com ele, meu cérebro e minha imaginação puseram-se além de qualquer controle. Uma nuvem negra e espessa rodopiava diante de meus olhos, e minha mente dizia que nessa nuvem, ainda invisível, mas prestes a atacar meu combalido juízo, escondia-se tudo o que era vagamente horrível, tudo o que era monstruoso e inconcebivelmente malévolo no universo. Formas indistintas rodopiavam e balançavam em meio ao escuro banco de nuvens, cada uma delas uma ameaça e um aviso de algo iminente, o advento de algum indizível habitante do limite, capaz de estraçalhar minha alma somente com sua sombra. Um horror paralisante se apossou de mim. Sentia meu cabelo eriçado, meus olhos saltados, minha boca aberta, e minha língua seca como couro. O tumulto no meu cérebro era tamanho que algo certamente se partiria. Tentei gritar, e tive a vaga consciência de algum gemido rouco que era a minha voz, mas distante e separado de mim. No mesmo momento, em algum esforço de fuga, rompi através daquela nuvem de desespero e vislumbrei o rosto de Holmes, branco, rígido e retesado pelo horror — cujo mesmo olhar eu vira no semblante dos mortos. Foi essa visão que me trouxe um instante de sanidade e energia. Saltei da minha poltrona, joguei os braços ao redor de Holmes, juntos nos arrastamos porta afora, e um instante depois, lançamo-nos sobre o gramado e ficamos deitados lado a lado, conscientes apenas do glorioso brilho do sol que penetrava a nuvem infernal de terror que nos envelopara. Lentamente ela se dissipou de nossas almas como as brumas de uma paisagem, até que a paz e a razão retornaram, e ficamos sentados na grama, enxugando as testas úmidas e olhando com apreensão um para o outro, para marcar os últimos vestígios da experiência horripilante que vivêramos.

— Juro por Deus, Watson! — disse Holmes finalmente, com a voz trêmula. — Devo a você meu agradecimento e um pedido de desculpas. Foi um experimento injustificável até para mim mesmo, e duplamente, por envolver um amigo. Lamento muito de verdade.

— Você sabe — eu respondi, com alguma emoção, pois jamais vira Holmes expor tanto assim seu coração — que é minha maior alegria e privilégio ajudar você.

Ele recaiu imediatamente em sua veia parte humorística, parte cínica, que é sua atitude habitual com os do seu convívio.

— Seria supérfluo enlouquecer-nos, meu caro Watson — ele disse. — Um observador sincero certamente declarar-nos-ia já loucos antes de empreender um experimento tão desvairado. Confesso que jamais imaginei que o efeito pudesse ser repentino e severo a esse ponto. — Ele entrou correndo no chalé, reapareceu segurando a lâmpada acesa com o braço totalmente esticado e a jogou num canteiro de mirtilos. — Precisamos esperar que o ar circule um pouco na sala. Presumo, Watson, que você não tenha mais dúvidas sobre como essas tragédias foram produzidas.

— Nenhuma.

— Mas o motivo continua tão obscuro quanto antes. Venha aqui para o caramanchão, vamos discutir isso. Essa substância maldita parece ainda apertar minha garganta. Acho que precisamos admitir que todas as evidências apontam para esse homem, Mortimer Tregennis, como o criminoso na primeira tragédia, embora ele tenha sido a vítima na segunda. Precisamos lembrar, em primeiro lugar, que existe algum histórico de rixa familiar, seguido por uma reconciliação. Quão amarga tenha sido essa rixa, ou quão falsa a reconciliação, não sabemos dizer. Quando penso em Mortimer Tregennis, com sua cara de raposa e seus olhinhos astutos e miúdos por trás dos óculos, ele não me impressiona como um homem particularmente propenso ao perdão. Bem, em segundo lugar, você lembrará que essa ideia de alguém se movendo no jardim, que desviou nossa atenção por um momento da verdadeira causa da tragédia, partiu dele. Ele tinha um motivo para nos despistar. Finalmente, se ele não jogou a tal substância no fogo no momento em que saiu da sala, quem o fez? O fato se deu imediatamente após a partida dele. Caso mais alguém tivesse entrado, a família teria certamente se levantado da mesa. Além disso, na pacífica Cornualha, visitas não chegam depois das 22h00. Podemos concluir, então, que todas as evidências apontam para Mortimer Tregennis como o culpado.

— Então sua própria morte foi suicídio!

— Bem, Watson, de imediato, essa não é uma suposição impossível. O homem que carregasse na alma a culpa de ter levado a própria família a uma morte assim poderia muito bem ser impelido pelo remorso a infligi-la a si mesmo. Existem, todavia, algumas razões apreciáveis contra isso. Felizmente, há um homem na Inglaterra que sabe tudo a respeito, e providenciei para que ouvíssemos os fatos hoje à tarde, de seus próprios lábios. Ah! Ele está um pouco adiantado. Talvez queira fazer a gentileza de vir para cá, Dr. Leon Sterndale. Realizamos um experimento químico em nossa saleta que a deixou pouco adequada à recepção de uma visita tão distinta.

Eu mal ouvira o estalo do portão do jardim, e então a majestosa figura do grande explorador africano apareceu no

A AVENTURA DO PÉ DO DIABO

caminho. Ele se virou, um tanto surpreso, para o caramanchão rústico onde estávamos sentados.

— Mandou me chamar, Sr. Holmes. Recebi seu bilhete há cerca de uma hora, e vim para cá, embora na verdade eu não entenda por que deveria obedecer a uma convocação sua.

— Talvez possamos esclarecer esse ponto antes do fim de sua visita — disse Holmes. — Enquanto isso, fico muito grato por sua gentil aquiescência. Vai perdoar esta recepção informal ao ar livre, mas meu amigo Watson e eu quase fornecemos um capítulo adicional ao que os jornais chamam de Horror da Cornualha, e atualmente preferimos uma atmosfera mais pura. Talvez, já que os assuntos que vamos discutir afetá-lo-ão pessoalmente de uma forma muito íntima, seja melhor mesmo que falemos num lugar onde ninguém poderá bisbilhotar.

O explorador tirou o charuto da boca e olhou severamente para o meu colega.

— Não faço a mínima ideia, senhor — ele disse —, do que poderia mencionar que me afetaria pessoalmente de uma forma muito íntima.

— O assassinato de Mortimer Tregennis — disse Holmes.

Por um momento, desejei estar armado. O rosto feroz de Sterndale assumiu um tom vermelho-escuro, seus olhos chisparam e as veias grossas e passionais saltaram de sua testa, enquanto ele saltava para a frente com os punhos cerrados diante do meu colega. Então ele parou, e com um esforço violento, voltou a uma calma fria e rígida que anunciava, talvez, um perigo maior do que sua irascível explosão.

— Vivi tanto tempo entre selvagens e fora do alcance da lei — ele disse — que adquiri o costume de fazer minha própria lei. Seria bom, Sr. Holmes, que não se esquecesse disso, pois eu não gostaria de lhe causar dano.

— Tampouco eu gostaria de lhe causar dano, Dr. Sterndale. Certamente a prova mais clara disso é que, sabendo o que sei, mandei chamar o senhor, e não a polícia.

Sterndale sentou-se com um gemido, subjugado, talvez, pela primeira vez em sua vida cheia de aventuras. Havia uma calma garantia de autoridade na atitude de Holmes que não podia ser enfrentada. Nosso visitante gaguejou por um momento, abrindo e fechando as manoplas em sua agitação.

— O que quer dizer? — ele perguntou finalmente. — Se isso for um blefe de sua parte, Sr. Holmes, escolheu o homem errado para o seu experimento. Vamos deixar de rodeios. *O que* o senhor quer dizer?

— Vou lhe contar — disse Holmes —, e o motivo de lhe contar é porque espero que a franqueza gere franqueza. Meu próximo passo dependerá totalmente da qualidade de sua defesa.

— Minha defesa?

— Sim, senhor.

— Minha defesa contra o quê?

— Contra a acusação de matar Mortimer Tregennis.

Sterndale enxugou a testa com o lenço.

— Juro que o senhor está passando dos limites — ele disse. — Todos os seus êxitos dependem desse prodigioso poder de blefe?

— O blefe — disse Holmes severamente — é a sua estratégia, Dr. Leon Sterndale, e não a minha. Como prova, contarei alguns dos fatos nos quais baseei minhas conclusões. Sobre seu retorno de Plymouth, permitindo que boa parte de seus pertences seguissem para a África, não direi nada, a não ser que foi a primeira coisa a me informar que o senhor era um dos fatores que precisavam ser levados em conta ao reconstituir este drama...

— Eu voltei...

— Ouvi suas justificativas e as considero pouco convincentes e inadequadas. Deixaremos isso de lado. O senhor voltou para me perguntar de quem eu suspeitava. Eu me recusei a responder. Então o senhor foi até a casa paroquial, esperou do lado de fora por algum tempo, e em seguida voltou para o seu chalé.

— Como sabe disso?

— Eu o segui.

— Eu não vi ninguém.

— É o que pode esperar ver, ao ser seguido por mim. O senhor passou uma noite insone em seu chalé e preparou certos planos, que de madrugada tratou de executar. Saindo de lá quando o dia estava raiando, encheu o bolso com a brita avermelhada que forma um monte ao lado do seu portão.

Sterndale teve um violento sobressalto e olhou assombrado para Holmes.

— Então caminhou rapidamente o quilômetro e meio que o separava da casa paroquial. Estava usando, posso ressaltar, o mesmo tipo de sapatos de tênis de sola listrada que calça neste momento. Na casa paroquial, passou pelo pomar e pela cerca lateral, aproximando-se da janela do hóspede, Tregennis. O dia já estava claro, mas ninguém acordara ainda na casa. O senhor tirou um pouco de brita do bolso e a jogou na janela superior.

Sterndale saltou de pé.

— Acredito que o senhor seja o próprio diabo! — ele exclamou.

Holmes sorriu com o elogio.

— Foram necessários dois, possivelmente três punhados antes que o hóspede se chegasse à janela. O senhor acenou para que ele descesse. Ele se vestiu às pressas e desceu para a sala de visitas. O senhor entrou pela janela. Houve um colóquio breve, durante o qual o senhor andou de um lado para o outro na sala. Então saiu, fechou a janela, postou-se no gramado, fumando um charuto e observando o que acontecia. Finalmente, depois da morte de Tregennis, o senhor voltou por onde veio. Agora, Dr. Sterndale, como justifica tal conduta e quais foram os motivos de suas ações? Se faltar com a verdade ou a seriedade, dou minha palavra de que porei o assunto fora de minha alçada para sempre.

O rosto do nosso visitante assumira uma palidez cinza enquanto ele ouvia as palavras do seu acusador. Então ele ficou pensativo por algum tempo, cobrindo o rosto com as mãos. Em seguida, com um gesto impulsivo e repentino, tirou do bolso do colete uma fotografia e jogou-a sobre a mesa rústica diante de nós.

— Aí está o motivo do que fiz — ele disse.

Ela mostrava o busto e o rosto de uma mulher muito linda. Holmes curvou-se sobre ela.

— Brenda Tregennis — ele disse.

— Sim, Brenda Tregennis — repetiu nosso visitante. — Por anos eu a amei. Por anos ela me amou. Eis o segredo desse isolamento na Cornualha que tanto maravilhava a todos. Ele me aproximava da única coisa no mundo que me era cara. Eu não podia desposá-la, pois tenho uma mulher que me deixou há anos e da qual, pelas deploráveis leis inglesas, não posso me divorciar. Por anos Brenda esperou. Por anos eu esperei. E esperamos tanto para isso. — Um soluço terrível abalou sua grande forma, e ele levou as mãos ao pescoço sob sua barba grisalha. Então, com esforço, controlou-se e prosseguiu.

— O pastor sabia. Era nosso confidente. Ele lhes dirá que Brenda era como um anjo. Foi por isso que ele me telegrafou e eu voltei. Que me importava minha bagagem, ou a África, ao saber que tal destino acometera minha amada? Aí está a pista que faltava para minhas ações, Sr. Holmes.

— Prossiga — disse o meu amigo.

O Dr. Sterndale tirou do bolso um embrulhinho de papel e deixou-o sobre a mesa. Nele estava escrito *"Radix pedis diaboli"*, com um símbolo vermelho de veneno sob a inscrição. Ele o empurrou na minha direção.

— Consta-me que o senhor é médico. Já ouviu falar deste preparado?

— Raiz de pé do diabo! Não, nunca ouvi falar.

— Isso não desmerece seu conhecimento profissional — ele disse —, pois acredito que, à parte uma amostra num laboratório em Buda, não existe outro espécime dessa raiz na Europa. Ela ainda não foi introduzida na farmacopeia ou na literatura toxicológica. Tem a forma de um pé, meio humano, meio caprino; daí o nome fantasioso dado por um missionário botânico. É usada como veneno em provações pelos curandeiros de certas regiões da África ocidental, e é mantida como segredo entre eles. Este espécime em particular, eu obtive em circunstâncias muito extraordinárias no interior de Ubanghi. — Ele abriu o embrulho enquanto falava e revelou um montinho de pó avermelhado, parecido com rapé.

— Bem, senhor? — perguntou Holmes severamente.

— Vou começar a contar, Sr. Holmes, tudo o que realmente aconteceu, pois o senhor já sabe tanto que é claramente do meu interesse que saiba de tudo. Já expliquei minha relação com a família Tregennis. Por amor à irmã, eu era amigo dos irmãos. Houve uma rixa familiar envolvendo dinheiro que alijou esse tal de Mortimer, mas supostamente eles haviam voltado às boas, e depois disso o conheci, como conhecia os outros. Era um homem astuto, sutil, maquiavélico, e por várias razões eu desconfiava dele, mas não tinha nenhum motivo para hostilizá-lo abertamente.

"Um dia, faz apenas algumas semanas, ele veio ao meu chalé e eu lhe mostrei algumas das minhas curiosidades africanas. Entre outras coisas, exibi este pó, e lhe contei sobre suas estranhas propriedades, como ele estimula os centros nervosos que controlam as emoções do medo, e como a loucura ou a morte são o destino do infeliz nativo que for submetido à provação pelo xamã de sua tribo. Também lhe contei quão impotente a ciência europeia seria para detectá-lo. Como Tregennis se apossou dele, não sei, pois não saí da sala nem por um momento, mas sem dúvida foi enquanto eu abria armários e me abaixava para mexer em caixas que ele conseguiu subtrair parte da raiz de pé do diabo. Lembro bem que ele me crivou de perguntas sobre a quantidade e o tempo necessários para que fizesse efeito, mas nem sonhava que ele pudesse ter um motivo pessoal para inquirir.

Não pensei mais no assunto até que o telegrama do pastor me alcançou em Plymouth. Aquele vilão imaginara que eu estaria em alto-mar antes de receber a notícia, e que passaria anos perdido na África. Mas eu voltei na mesma hora. Naturalmente, não pude ouvir os detalhes sem ter certeza de que meu veneno fora usado. Vim ver o senhor para saber se não tinha por acaso encontrado qualquer outra explicação. Mas não poderia haver outra. Eu estava convencido de que Mortimer Tregennis era o assassino; que pelo dinheiro, e com a ideia, talvez, de que se todos os outros familiares estivessem loucos, ele seria o único guardião de todos os bens, Tregennis usara o pó de pé do diabo neles, destruindo o juízo de dois deles e matando sua irmã, Brenda, o único ser humano que já amei ou que já me amou. Aí estava o seu crime; qual seria sua punição?

Eu deveria recorrer à lei? Onde estavam minhas provas? Eu sabia que esses eram os fatos, mas poderia esperar que um júri local acreditasse numa história tão fantástica? Talvez sim, talvez não. Mas não podia dar-me ao luxo de fracassar. Minha alma clamava por vingança. Eu já lhe disse, Sr. Holmes, que passei boa parte da minha vida fora do alcance da lei, e que finalmente me tornei minha própria lei. Foi assim agora. Eu determinei que ele deveria compartilhar o destino que dera aos outros. Ou isso, ou eu faria justiça com minhas próprias mãos. Por toda a Inglaterra, não deve haver outro homem que dê menos valor à própria vida do que dou à minha neste momento.

Agora já lhe contei tudo. O senhor mesmo forneceu o resto. Como descreveu, depois de uma noite insone, saí cedo do meu chalé. Prevendo a dificuldade de acordá-lo, peguei um pouco da brita que o senhor mencionou e atirei-a em sua janela. Ele desceu e me fez entrar pela janela da sala de visitas. Eu lhe apresentei a acusação. Disse a ele que vinha como juiz e carrasco. O miserável desabou numa poltrona, paralisado ao ver o meu revólver. Acendi a lanterna, pus o pó sobre ela e fiquei do lado de fora, perto da janela, pronto para cumprir minha ameaça de atirar nele, caso ele tentasse sair da sala. Em cinco minutos, ele morreu. Meu Deus! Como ele morreu! Mas meu coração estava empedernido, pois ele não sofreu nada que minha inocente amada não tivesse sofrido antes. Aí está a minha história, Sr. Holmes. Talvez, se o senhor amasse uma mulher, teria feito o mesmo que fiz. De qualquer forma, estou em suas mãos. Pode tomar as medidas que quiser. Como eu já disse, não existe homem vivo que tema a morte menos do que eu."

Holmes se manteve por algum tempo em silêncio.

— Quais eram os seus planos? — ele perguntou finalmente.

— Eu pretendia me embrenhar na África Central. Meu trabalho ali está pela metade.

— Vá para lá e faça a outra metade — disse Holmes. — De minha parte, não estou preparado para impedi-lo.

O Dr. Sterndale ergueu sua gigante figura, curvou-se gravemente numa reverência e saiu do caramanchão. Holmes acendeu seu cachimbo e me passou a bolsa de tabaco.

— Alguns eflúvios não venenosos serão uma mudança bem-vinda — ele disse. — Acho que você há de concordar, Watson, que esse não é um caso que nos motiva a interferir. Nossa investigação foi independente, e nossa ação também o será. Você denunciaria o homem?

— Certamente que não — respondi.

— Eu jamais amei, Watson, mas se amasse e a minha amada tivesse um fim assim, talvez eu agisse como nosso fora da lei africano. Quem sabe? Bem, Watson, não insultarei sua inteligência explicando o óbvio. A brita na sacada da janela foi, é claro, o ponto de partida de minha pesquisa. Não se assemelhava a nada que houvesse no jardim paroquial. Somente quando minha atenção se voltou para o Dr. Sterndale e o seu chalé, eu descobri de onde viera a brita. A lanterna ardendo em plena luz do dia e os restos de pó ao redor de sua abertura eram elos sucessivos numa cadeia bastante óbvia. E agora, meu caro Watson, acho que podemos tirar esse assunto da cabeça e voltar com a consciência tranquila ao estudo das raízes caldeias que certamente podem ser encontradas na vertente relativa à Cornualha do grande idioma celta.

oito

O ÚLTIMO ADEUS DE SHERLOCK HOLMES

Um Epílogo para Sherlock Holmes

Eram nove da noite do dia dois de agosto — o mais terrível agosto da história do mundo. Poder-se-ia pensar que a maldição de Deus estava prestes a se abater sobre um mundo degenerado, pois havia um silêncio assombroso e um sentimento de vaga expectativa no ar tórrido e estagnado. O sol havia muito se pusera, mas uma linha vermelha como sangue, parecendo um ferimento aberto, riscava o horizonte no oeste distante. Acima, as estrelas brilhavam; e abaixo, as luzes dos navios cintilavam na baía. Os dois famosos alemães encontravam-se ao lado do parapeito de pedra do passeio do jardim, com a casa longa, baixa e de pesadas arestas por trás, e olhavam para a ampla extensão de praia ao pé do grande penhasco de gipsita sobre o qual Von Bork, qual águia errante, se empoleirara quatro anos antes. Suas cabeças estavam próximas e eles falavam em voz baixa, em tom confidencial. Vistas de baixo, as duas brasas de seus charutos poderiam parecer os olhos ardentes de alguma criatura maligna contemplando a escuridão.

Um homem notável, esse Von Bork — um homem que dificilmente encontraria um par entre todos os devotados agentes do *Kaiser*. Foram seus talentos que o recomendaram inicialmente para a missão inglesa, a missão mais importante de todas, mas desde que ele a assumira, esses talentos tornaram-se cada vez mais manifestos para a meia dúzia de pessoas no mundo que realmente conheciam a verdade. Uma dessas pessoas era o seu atual interlocutor, o barão Von Herling, secretário-chefe da legação, cujo enorme automóvel Benz de cem cavalos-vapor bloqueava a estrada rural enquanto esperava para transportar seu proprietário de volta a Londres.

— Até onde posso julgar a marcha dos acontecimentos, você provavelmente estará de volta a Berlim até o fim da semana — o secretário estava dizendo. — Quando chegar lá, caro Von Bork, acho que ficará surpreso com as boas-vindas que receberá. Por acaso, eu sei o que se pensa nos escalões mais altos sobre seu trabalho neste país. — Ele era um homem corpulento, o secretário, alto, largo e robusto, com um modo de falar lento e pesado que era seu principal recurso na carreira política.

Von Bork riu.

— Não é muito difícil enganá-los — ele comentou. — Um povo mais dócil e simplório não poderia ser imaginado.

— Não sei quanto a isso — disse o outro, pensativo. — Eles têm limites estranhos, e é preciso aprender a observá-los. É essa simplicidade superficial deles que se torna uma armadilha para os estrangeiros. A primeira impressão é que são totalmente moles. Então você encontra de repente algo muito duro, e sabe que chegou ao limite e que precisa adaptar-se a esse fato. Eles têm, por exemplo, suas convenções insulares, que simplesmente *precisam* ser observadas.

— Fala da "devida formalidade", esse tipo de coisa? — Von Bork suspirou, como alguém que há muito sofre.

— Falo do preconceito britânico, em todas as suas estranhas manifestações. Como exemplo, posso mencionar um dos meus piores deslizes; posso falar dos meus deslizes, pois você conhece meu trabalho o suficiente para estar a par dos meus sucessos. Foi quando eu acabara de chegar. Convidaram-me para uma reunião de fim de semana na casa de campo de um ministro do gabinete. A conversa foi espantosamente indiscreta.

Von Bork balançou a cabeça.

— Já passei por isso — ele disse secamente.

— Exato. Bem, como de costume, enviei um sumário das informações a Berlim. Infelizmente, nosso bom chanceler é um tanto insensível nesses assuntos, e transmitiu um comentário que revelava que ele estava a par do que fora dito na reunião. Isso, é claro, deixou um rastro que apontava diretamente para mim. Você não faz ideia de como isso me prejudicou. Nossos anfitriões britânicos não foram nada moles naquela ocasião, posso garantir. Levei dois anos para apaziguá-los. Já você, com essa sua pose de desportista...

— Não, não a chame de pose. Pose é algo artificial. Isto é bastante natural. Sou um desportista nato. Eu gosto.

— Bem, isso a torna mais eficaz. Você veleja com eles, caça com eles, joga polo, enfrenta-os de igual para igual em todo tipo de competição, ganha prêmios no Olympia com sua carruagem de quatro cavalos. Ouvi dizer que chega até a lutar boxe com os jovens oficiais. Qual o resultado? Ninguém o leva a sério. Você é o "bom e velho camarada", "um sujeito decente, para um alemão", um jovem beberrão, farrista, espalha-brasas, inconsequente. Enquanto isso, esta sua pacata casa de campo é o centro de metade das intrigas da Inglaterra, e o desportista rural, o mais astuto espião da Europa. Gênio, meu caro Von Bork, gênio!

— O senhor me lisonjeia, barão. Mas, de fato, posso dizer que meus quatro anos neste país não foram improdutivos. Nunca lhe mostrei meu pequeno depósito. Importar-se-ia de entrar por um momento?

A porta do escritório dava diretamente para o terraço. Von Bork a abriu e, mostrando o caminho, acionou o interruptor da luz elétrica. Então fechou a porta atrás da figura corpulenta que o seguia e cuidadosamente ajustou a pesada cortina sobre a janela com treliça. Somente quando todas essas precauções foram tomadas e verificadas, ele virou o rosto aquilino e bronzeado para o convidado.

— Alguns dos meus documentos não estão aqui — ele disse —; quando minha esposa e a criadagem partiram ontem para Flushing, levaram os menos importantes. Devo, é claro, reivindicar a proteção da embaixada para os outros.

— Seu nome já foi registrado como integrante do séquito pessoal. Não haverá dificuldades para você ou sua bagagem. Naturalmente, é possível que nem precisemos seguir para lá. A Inglaterra pode abandonar a França à sua sorte. Estamos certos de que não existe nenhum tratado entre as duas.

— E a Bélgica?

— Sim, e com a Bélgica tampouco.

Von Bork balançou a cabeça.

— Não entendo como isso é possível. Definitivamente, deve existir um tratado. Ela jamais se recuperaria de tamanha humilhação.

— Teria ao menos paz, no momento.

— Mas e sua honra?

— Ora, caro senhor, vivemos numa época pragmática. A honra é um conceito medieval. Além disso, a Inglaterra não está pronta. É inconcebível, mas nem nosso imposto especial de guerra de cinquenta milhões, que era de se pensar que tivesse deixado nossas intenções tão claras como se as anunciássemos na primeira página do *Times*, despertou este povo do seu sono. Aqui e ali, ouve-se alguém perguntando. Minha função é fornecer uma resposta. Aqui e ali, também, existe irritação. Minha função é acalmá-la. Mas posso garantir que, no tocante ao essencial — o armazenamento de munições, os preparativos para um ataque submarino, a fabricação de explosivos potentes — nada está pronto. Como, então, a Inglaterra poderia participar, especialmente quando a agitamos de forma tão demoníaca com a guerra civil irlandesa, as Fúrias do tumulto, e sabe Deus o que mais, para que sua atenção se mantivesse voltada para o seu interior?

— Ela precisa pensar em seu futuro.

— Ah, essa é outra questão. Imagino que, no futuro, tenhamos nossos próprios planos muito bem definidos para a Inglaterra, e que as informações que você coleta serão vitais para nós. É hoje ou amanhã, para a Coroa. Se ela preferir hoje, estamos perfeitamente prontos. Se for amanhã, estaremos mais prontos ainda. Imagino que seria mais sensato lutar com aliados do que sem eles, mas isso é problema deles. Esta é a semana que lhes selará o destino. Mas você estava falando dos seus documentos. — Ele se sentou na poltrona, com a luz brilhando sobre sua grande cabeça calva, enquanto tragava calmamente o seu charuto.

A grande sala revestida de carvalho e estantes abarrotadas de livros tinha uma cortina no canto oposto. Ao ser puxada, ela revelou um grande cofre revestido de bronze. Von Bork tirou uma pequena chave da corrente do seu relógio, e depois de uma considerável manipulação da fechadura, abriu a pesada porta.

— Veja! — ele disse, afastando-se para o lado com um gesto.

A luz iluminou vivamente o cofre aberto, e o secretário da embaixada admirou com interesse absorto as fileiras de escaninhos que o preenchiam. Cada escaninho tinha sua etiqueta, e seus olhos, correndo sobre elas, leram uma longa série de títulos como "Travessias Fluviais", "Defesas Portuárias", "Aeroplanos", "Irlanda", "Egito", "Fortalezas em Portsmouth", "Canal da Mancha", "Rosyth" e dezenas de outros. Cada compartimento estava lotado de documentos e diagramas.

— Colossal! — exclamou o secretário. Largando o charuto, ele bateu palmas de leve com as mãos roliças.

— E tudo em quatro anos, barão. Até que não está ruim para um desportista rural beberrão e arruaceiro. Mas a joia da minha coleção está chegando, e eis aqui o lugar reservado para ela. — Ele apontou para um espaço sobre o qual se lia "Sinais Náuticos".

— Mas já há um bom dossiê ali.

— Obsoleto, vai para o lixo. O almirantado, de alguma forma, foi alertado, e alterou todos os códigos. Foi um golpe, barão; o pior percalço de toda a minha campanha. Mas graças ao meu talão de cheques e ao bom Altamont, tudo ficará bem esta noite.

O barão olhou para o seu relógio e emitiu uma exclamação gutural de desapontamento.

— Bem, realmente não posso esperar mais. Como pode imaginar, coisas estão acontecendo neste momento em Carlton Terrace, e precisamos estar todos a postos. Eu esperava poder levar notícias dessa sua grande manobra. Altamont não disse a que hora viria?

Von Bork pegou um telegrama.

— "Irei sem falta esta noite, levando novas velas de ignição. Altamont."

— Velas de ignição, é?

— Veja bem, ele finge ser um especialista em motores, e eu tenho uma oficina. Em nosso código, tudo o que pode surgir recebe o nome de alguma peça. Se ele fala de um radiador, é um encouraçado, uma bomba de óleo é um cruzador, e assim por diante. Velas de ignição são sinais náuticos.

— Postado em Portsmouth ao meio-dia — disse o secretário, examinando o sobrescrito. — A propósito, o que deu a ele?

— Quinhentas libras por este trabalho em particular. Naturalmente, ele também recebe um salário.

— Canalha ganancioso. Esses traidores são úteis, mas lamento pelo dinheiro ensanguentado que recebem.

— Eu não lamento nada com Altamont. Ele é um trabalhador maravilhoso. Se é bem pago, ao menos entrega a mercadoria, para citar uma frase dele mesmo. Além disso, não é um traidor. Garanto que nosso *junker* mais pangermanista é um pombinho, comparado com um irlandês americano amargurado de verdade.

— Ah, ele é irlandês americano?

— Se o senhor o ouvir falar, não terá dúvidas disso. Às vezes, juro, mal consigo entendê-lo. Ele parece ter declarado guerra não só à Coroa inglesa, mas também ao inglês da Coroa. Precisa mesmo ir embora? Ele pode chegar a qualquer momento.

— Sim, lamento, mas já fiquei além do que devia. Esperamos você amanhã cedo, e quando surrupiar esse livreto de sinais pela porta de serviço do duque de York, poderá escrever um triunfante "Fim" aos seus serviços na Inglaterra. O quê?! Tocái! — Ele apontou para uma garrafa bem lacrada e empoeirada, posta entre duas taças altas numa bandeja.

— Posso lhe oferecer uma dose, antes de sua viagem?

— Não, obrigado. Mas parece que haverá uma farra.

— Altamont tem bom gosto para vinhos, e encantou-se com meu Tocái. É um sujeito melindroso e precisa ser paparicado nos detalhes. Preciso estudá-lo, garanto. — Eles haviam saído para o terraço de novo e andaram por ele até a extremidade, onde, obedecendo a um gesto do chofer do barão, o grande automóvel estremeceu e roncou.

— Aquelas são as luzes de Harwich, suponho — disse o secretário, fechando sua sobrecasaca. — Quão calmo e pacífico tudo parece. Podem haver outras luzes em uma semana, e a costa inglesa será um lugar menos tranquilo! Os céus também talvez não sejam tão pacíficos, se todas as promessas do nosso bom Zeppelin se realizarem. A propósito, quem é aquela?

Somente uma janela estava iluminada; nela havia uma lanterna, e ao seu lado, sentada a uma mesa, uma doce velhinha de rosto avermelhado e touca. Ela tricotava e parava ocasionalmente para afagar um grande gato preto num banco ao seu lado.

— É Martha, a única criada que ficou comigo.

O secretário deu uma risadinha.

— Ela poderia quase personificar a Grã-Bretanha — ele disse —, com sua completa introspecção e ar geral de confortável sonolência. Bem, *au revoir*, Von Bork! — Com um aceno final, ele entrou no auto, e um momento depois, os dois cones dourados dos faróis mergulhavam na escuridão. O secretário refestelou-se no estofamento de sua luxuosa limusine, com os pensamentos tão ocupados pela iminente tragédia europeia que mal observou, ao fazer a curva para entrar na aldeia, um pequeno Ford passando por ele, seguindo no sentido oposto.

Von Bork voltou lentamente para o escritório quando o facho dos faróis extinguiu-se a distância. Ao entrar, observou que sua velha governanta apagara a lanterna e se recolhera. Era uma experiência nova para ele, o silêncio e a escuridão de sua espaçosa casa, pois sua família e sua criadagem eram numerosas. Era um alívio, todavia, saber que estavam todos em segurança e que, à parte a velha senhora que ficara para cozinhar, ele tinha a casa toda para si. Precisava fazer muita ordem no escritório, e pôs mãos à obra, até que seu rosto atento e belo ficou rubro com o calor dos documentos em chamas. Uma valise de couro estava ao lado de sua mesa, e dentro dela começou a guardar ordeira e sistematicamente o precioso conteúdo de seu cofre. Mal começara esse trabalho, porém, quando seus ouvidos aguçados detectaram o som distante de um automóvel. Com uma exclamação repentina de satisfação, ele afivelou a valise, fechou o cofre, trancou-o e saiu às pressas para o terraço. Chegou a tempo de ver os faróis de um pequeno auto parando no portão. Um passageiro saltou dele e avançou rapidamente em sua direção, enquanto o chofer, um homem idoso e de compleição robusta, de bigode grisalho, acomodou-se em seu assento, como alguém que está resignado a uma longa vigília.

— E então? — perguntou Von Bork ansiosamente, correndo ao encontro de seu visitante.

Como resposta, o homem agitou, triunfante, um pacotinho de papel pardo acima da cabeça.

— Pode me dar os parabéns hoje, chefia — ele exclamou. — Volto de uma boa caçada, finalmente.

— Trouxe os sinais?

— Como eu disse no cabograma. Todos, todinhos, os semafóricos, de lâmpada, Marconi; uma cópia, veja bem, não o original. Seria perigoso demais. Mas é o artigo genuíno, pode apostar as calças. — Ele deu um tapa no ombro do alemão com uma rude familiaridade que fez o outro se encolher.

— Entre — ele disse. — Estou sozinho em casa. Estava esperando só por isso. Claro que uma cópia é melhor que o original. Se um original desaparecesse, eles mudariam tudo. Acha que essa cópia é segura mesmo?

O irlandês americano entrou no escritório e esticou as longas pernas, sentado na poltrona. Era um homem alto e magro de uns 60 anos, com traços bem definidos e um cavanhaquezinho que lhe conferia uma semelhança geral com as caricaturas do Tio Sam. Um charuto pela metade e úmido pendia do canto de sua boca, e ao se sentar, ele riscara um fósforo e o acendera novamente.

— Preparando a mudança? — ele comentou, olhando ao redor. — Espere aí, chefia — ele acrescentou, ao ver o cofre, ainda não escondido pela cortina —, não me diga que guarda seus documentos naquilo?

— Por que não?

— Caramba, num tareco fácil de abrir assim! E ainda chamam o senhor de espião. Ora, um meliante ianque dá conta disso aí com um abridor de latas. Se eu soubesse que minhas cartas iriam ficar à disposição de todos nessa coisa, não teria sido um tolo em lhe escrever uma linha sequer.

— Qualquer meliante ficaria perplexo se tentasse arrombar esse cofre — Von Bork respondeu. — O metal não cede a ferramenta nenhuma.

— Mas e a fechadura?

— É de duplo segredo. Sabe o que é isso?

— Estou no escuro — disse o americano.

— Bem, precisa de uma palavra, além de números, para acionar a fechadura. — Ele se levantou e mostrou dois discos concêntricos ao redor do buraco da chave. — O de fora é para as letras, o de dentro para os números.

— Bem, bem, então está ótimo.

— Portanto, não é tão simples como você pensava. Mandei fazê-lo há quatro anos, e que palavra e números acha que escolhi?

— Nem imagino.

— Bem, a palavra que escolhi é agosto, 1914 é o número, e aqui estamos.

O rosto do americano mostrou sua surpresa e admiração.

— Mas isso foi muita esperteza! Muito refinado mesmo.

— Sim, alguns de nós poderiam ter previsto até o dia do mês. Ele chegou, e vou encerrar as atividades amanhã de manhã.

— Bem, acho que vai ter que dar um jeito em mim também. Não vou ficar sozinho neste país maldito. Daqui a uma semana ou menos, pelo que vejo, o touro inglês vai estar empinado e bufando. Prefiro assistir a tudo do meio da água.

— Mas você não é cidadão americano?

— Bem, Jack James também era e está cumprindo pena em Portland mesmo assim. Nem adianta dizer a um esbirro inglês que você é cidadão americano. "A lei e a ordem são inglesas aqui", ele diz. Por falar nisso, chefia, já que mencionamos Jack James, parece que você não faz muita força para proteger seus homens.

— Como assim? — Von Bork perguntou secamente.

— Bem, você é o empregador, não é? É sua função impedir que eles caiam em desgraça. Mas eles caem, e você já ajudou algum a levantar? Temos James...

— A culpa foi do próprio James. Você sabe disso muito bem. Ele era voluntarioso demais para o serviço.

— James era um paspalhão, admito. Mas teve Hollis.

— O homem era louco.

— Bem, ele ficou meio abobado no final. É de deixar qualquer um doido, representar um papel de sol a sol, com mil sujeitos prontos para entregar você aos esbirros. Mas também aconteceu com Steiner...

Von Bork teve um violento sobressalto, e seu rosto avermelhado ficou mais pálido.

— O que tem Steiner?

— Bem, eles o pegaram, só isso. Entraram na loja dele ontem à noite, e ele e seus documentos estão todos na prisão de Portsmouth. Você vai embora, e ele, pobre-diabo, vai ter que aguentar o tranco, e terá muita sorte se não pagar com a vida. Por isso quero cair no mar junto com você.

Von Bork era um homem forte e controlado, mas era fácil perceber que a notícia o abalara.

— Como podem ter chegado a Steiner? — ele balbuciou. — Esse foi o pior golpe até agora.

— Bem, quase que você teve um pior ainda, pois acho que eles não estão muito longe de mim.

— Não está falando sério!

— É certeza. Minha senhoria em Fratton foi interrogada, e quando fiquei sabendo, concluí que estava na hora de passar sebo nas canelas. Mas o que eu queria saber, chefia, é como os esbirros descobrem essas coisas? Steiner é o quinto homem que cai desde que comecei a trabalhar para você, e se eu não me mexer, já sei quem vai ser o sexto. Como explica isso, e não dá vergonha ver seus homens se lascarem desse jeito?

Von Bork ficou roxo.

— Como ousa falar comigo assim!

— Se eu não ousasse as coisas, chefia, não estaria a seu serviço. Mas vou dizer francamente o que estou pensando. Ouvi dizer que vocês, políticos alemães, não lamentam ver um agente entrando pelo cano, depois que ele terminou seu serviço.

Von Bork saltou de pé.

— Atreve-se a sugerir que traí meus próprios agentes!

— Não posso jurar, chefia, mas tem um passarinho ou um alcaguete em algum lugar, e é você que deve descobrir onde ele está. Seja como for, eu não vou me arriscar mais. Vou para a pequena Holanda, e quanto antes, melhor.

Von Bork dominara a sua raiva.

— Fomos aliados por tempo demais para brigar agora, na hora da nossa vitória — ele disse. — Você fez um esplêndido trabalho, correu riscos, e não posso me esquecer disso. Vá para a Holanda mesmo, e pode embarcar num navio de Roterdá para Nova York. Nenhuma outra rota será segura, daqui a uma semana. Vou ficar com esse caderno e guardá-lo com o resto.

O americano segurava o pacotinho, mas não fez nenhuma menção de entregá-lo.

— E a grana? — ele perguntou.

— O quê?

— O arame. A recompensa. As quinhentas libras. O artilheiro engrossou, no final, e precisei amaciá-lo com mais cem dólares, senão você e eu não teríamos porcaria nenhuma agora. "Nada feito!", ele dizia, e falava sério, mas os últimos cem funcionaram. A transação toda me custou duzentas libras; portanto, não vou entregar sem receber meu prêmio.

Von Bork sorriu com uma certa amargura.

— Você não parece ter minha honra em tão alta conta — ele disse —; quer o dinheiro antes de entregar o caderno.

— Bem, chefia, negócios são negócios.

— Muito bem. Como quiser. — Ele se sentou à mesa e rabiscou um cheque, que destacou do talão, mas se absteve de entregá-lo ao colega. — Afinal, já que estamos nesses termos, Sr. Altamont — ele disse —, não vejo por que eu deveria confiar no senhor mais do que confia em mim. Entendeu? — ele acrescentou, olhando para o americano, de pé atrás dele. — O cheque está aí, sobre a mesa. Reservo-me o direito de examinar o pacote antes que o senhor pegue o dinheiro.

O americano o entregou sem uma palavra. Von Bork desamarrou o barbante e abriu as duas folhas que o embrulhavam. Então ficou parado, olhando assombrado, em silêncio, o livrinho azul que tinha diante de si. Na capa estava escrito, em letras douradas: *Manual Prático de Apicultura*. Somente por um segundo o grande espião fitou esse título estranhamente irrelevante. Um momento depois, ele foi agarrado pela nuca com mão de ferro, e uma esponja embebida em clorofórmio cobriu seu rosto crispado.

— Mais uma taça, Watson! — disse o Sr. Sherlock Holmes, estendendo a garrafa de Tocái Imperial.

O corpulento chofer, que se sentara à mesa, ofereceu sua taça com certa sofreguidão.

— É um bom vinho, Holmes.

— Um vinho memorável, Watson. Nosso amigo do sofá me garantiu que veio da adega especial do imperador Francisco José, no Palácio de Schoenbrunn. Posso lhe pedir que abra a janela, pois o vapor de clorofórmio não ajuda o paladar.

O cofre estava aberto, e Holmes, parado diante dele, tirava um dossiê atrás do outro, examinando-os rapidamente e organizando-os na valise de Von Bork. O alemão jazia no sofá, dormindo profundamente, com uma cinta prendendo seus antebraços e outra ao redor das pernas.

— Não precisamos ter pressa, Watson. Estamos a salvo de interrupções. Por favor, toque a sineta. Não há ninguém na casa além da velha Martha, que desempenhou seu papel admiravelmente. Expliquei-lhe a situação aqui, quando assumi o caso. Ah, Martha ficará feliz em saber que está tudo bem.

A agradável senhora aparecera na porta. Ela se inclinou com um sorriso para o Sr. Holmes, mas olhou com certa apreensão para a figura no sofá.

— Está tudo certo, Martha. Ele não sofreu nem um arranhão.

— Fico feliz em saber, Sr. Holmes. À sua maneira, era um patrão gentil. Queria que eu partisse com sua esposa para a Alemanha ontem, mas isso não seria conveniente para o senhor, certo?

— Não seria mesmo, Martha. Com você aqui, eu ficava mais tranquilo. Esperamos seu sinal por algum tempo esta noite.

— Era o secretário, senhor.

— Eu sei. Cruzamos com o automóvel dele.

— Achei que ele nunca mais fosse partir. Eu sabia que não seria bom para os seus planos, senhor, encontrá-lo aqui.

— De fato. Bem, só significou que tivemos que esperar por volta de meia hora, até que vi sua lanterna se apagar e soube que a barra estava limpa. Pode me procurar amanhã em Londres, Martha, no Hotel Claridge's.

— Muito bem, senhor.

— Suponho que já tenha feito todos os preparativos para partir.

— Sim, senhor. Ele enviou sete cartas hoje. Anotei os endereços, como de costume.

— Excelente, Martha. Vou olhá-los amanhã. Boa noite. Estes documentos — ele continuou, quando a velha senhora se foi — não são de grande importância, pois, é claro, as informações contidas neles já foram enviadas há muito tempo para o governo alemão. São originais, que não poderiam sair do país com segurança.

— Então são inúteis.

— Eu não chegaria a tanto, Watson. Ao menos revelarão ao nosso pessoal o que o inimigo sabe ou não sabe. Devo dizer que boa parte destes documentos foi trazida por mim, e nem preciso acrescentar que não são nada confiáveis. Abrilhantaria meus últimos anos ver um cruzador alemão navegar pelo Solent seguindo o mapa de minas flutuantes que forneci. Mas você, Watson — ele interrompeu seu trabalho e segurou o velho amigo pelos ombros —, ainda nem tinha visto você na luz. Como os anos têm lhe tratado? Parece o mesmo garoto despreocupado de sempre.

— Sinto-me vinte anos mais jovem, Holmes. Raramente senti felicidade maior do que quando recebi seu telegrama, pedindo que eu fosse vê-lo em Harwich com o automóvel. Você sim, Holmes, mudou muito pouco, à parte esse horrível cavanhaque.

— São os sacrifícios que fazemos pela pátria, Watson — disse Holmes, puxando o tufo de pelos. — Amanhã ele será apenas uma lembrança ruim. Cortando o cabelo e fazendo mais algumas mudanças superficiais, sem dúvida reaparecerei no Claridge's como eu era antes que esta jogada americana, perdão, Watson, acho que meu inglês ficou permanentemente contaminado, antes que esta missão americana surgisse em meu caminho.

— Mas você estava aposentado, Holmes. Ouvíamos dizer que vivia como um ermitão entre suas abelhas e seus livros numa pequena fazenda nas planícies do sul.

— Exatamente, Watson. Aqui está o fruto do meu repouso despreocupado, a obra-prima dos meus últimos anos! — Ele pegou o volume da mesa e leu o título completo: *Manual Prático de Apicultura, com algumas Observações sobre a Segregação da Rainha*. Eu o escrevi sozinho. Contemple o fruto de noites de reflexão e dias de labuta, quando eu observava as pequenas operárias como já observei o mundo criminal de Londres.

— Mas como voltou à ativa?

— Ah, eu mesmo me pergunto, às vezes. Ao ministro do Exterior, sozinho, eu teria resistido, mas quando o premiê também resolveu visitar minha humilde morada...! O fato é, Watson, que esse cavalheiro no sofá era um tanto bom demais para o nosso pessoal. Ele era um capítulo à parte. As coisas iam mal, e ninguém conseguia entender por que iam mal. Agentes eram postos sob suspeita ou até capturados, mas havia evidências de alguma força central, poderosa e secreta. Era absolutamente necessário expô-la. Fui tremendamente pressionado a examinar o assunto. Custou-me dois anos, Watson, mas eles não foram privados de emoções. Basta dizer que comecei minha peregrinação por Chicago, ingressei numa sociedade secreta irlandesa em Buffalo, causei sérios problemas às forças da lei em Skibbereen, até que finalmente chamei a atenção de um subordinado de Von Bork, que me recomendou como um provável agente, para que você perceba que o caso era complexo. Desde então, ele me honrou com sua confiança, o que não evitou que a maioria dos seus planos desse sutilmente errado, e que cinco de seus melhores agentes fossem encarcerados. Eu os vigiava,

Watson, e colhia-os quando estavam maduros. Bem, senhor, espero que não tenha sofrido muito!

A última frase fora dirigida ao próprio Von Bork, que, depois de muito gemer e piscar, permanecera em silêncio, ouvindo o depoimento de Holmes. Então ele prorrompeu numa torrente furiosa de invectivas em alemão, com o rosto deformado pela fúria. Holmes continuou sua investigação veloz dos documentos, enquanto seu prisioneiro praguejava e xingava.

— Embora pouco musical, o alemão é o mais expressivo de todos os idiomas — ele observou, quando Von Bork parou, por pura exaustão. — Olá! Olá! — ele acrescentou, olhando com atenção o canto de um diagrama, antes de guardá-lo na caixa. — Isto deve pôr mais um pássaro na gaiola. Eu não fazia ideia de que o pagador fosse tão canalha, embora já havia tempos estivesse de olho nele. Sr. Von Bork, vai ter que responder por muita coisa.

O prisioneiro havia se endireitado com alguma dificuldade sobre o sofá, e olhava com uma estranha mistura de assombro e ódio para o seu captor.

— Vou me vingar de você, Altamont — ele disse, falando com lenta deliberação —; ainda que eu leve a vida toda, vou me vingar de você!

— A velha e doce canção — disse Holmes. — Quão amiúde a ouvi nos velhos tempos. Era a melodia favorita do finado e saudoso professor Moriarty. O coronel Sebastian Moran também costumava entoá-la. No entanto, eu continuo vivo e criando abelhas nas planícies do sul.

— Maldito seja, duplo traidor! — exclamou o alemão, forçando suas amarras, com o olhar furioso e homicida.

— Não, não, nada tão grave assim — disse Holmes sorrindo. — Como minha maneira de falar certamente demonstra, o Sr. Altamont, de Chicago, não existia de fato. Eu o usei, e agora ele se foi.

— Então quem é você?

— É realmente irrelevante quem eu seja, mas como a questão parece lhe interessar, Sr. Von Bork, posso dizer que este não é meu primeiro contato com os membros de sua família. Realizei muitos trabalhos na Alemanha, no passado, e meu nome provavelmente lhe é familiar.

— Gostaria de sabê-lo — disse o prussiano amargamente.

— Fui eu que causei a separação de Irene Adler do falecido rei da Boêmia, quando seu primo Heinrich era o enviado imperial. Também fui eu que salvei de ser assassinado pelo niilista Klopman o conde Von und Zu Grafenstein, irmão mais velho de sua mãe. Fui eu...

Von Bork sentou-se, assombrado.

— Só existe um homem — ele exclamou.

— Exatamente — disse Holmes.

Von Bork gemeu e afundou novamente no sofá.

— E a maior parte dessas informações foi trazida por você — ele gritou. — Qual seu valor? O que foi que eu fiz? Estou arruinado para sempre!

— Certamente, são um tanto duvidosas — disse Holmes.

— Seria preciso verificá-las, e vocês terão pouco tempo para fazê-lo. Seu almirante talvez ache os novos canhões um pouco maiores do que esperava, e os cruzadores, um pouco mais velozes.

Von Bork levou as mãos ao pescoço, em desespero.

— Há muitos outros detalhes que sem dúvida virão à tona no tempo azado. Mas o senhor tem uma qualidade que é muito rara num alemão, Sr. Von Bork; é um desportista, e não vai me querer mal quando entender que o senhor, que já enganou tantos outros, finalmente foi, por sua vez, enganado. No fim das contas, o senhor fez o que era melhor para o seu país, e eu fiz o melhor para o meu, e o que poderia ser mais natural? Além disso — ele acrescentou, não sem comiseração, pondo a mão no ombro do homem prostrado —, é melhor cair assim do que diante de um adversário mais ignóbil. Os documentos já estão prontos, Watson. Se me ajudar com nosso prisioneiro, acho que poderemos partir para Londres imediatamente.

Não foi uma tarefa fácil transportar Von Bork, pois ele era um homem forte e desesperado. Finalmente, segurando-o pelos braços, os dois amigos o carregaram lentamente pelo passeio do jardim, que ele percorrera com uma confiança tão altiva ao receber as congratulações do famoso diplomata, poucas horas antes. Depois de uma breve luta final, ele foi depositado, ainda com as mãos e os pés amarrados, no banco traseiro do pequeno automóvel. Sua preciosa valise foi colocada ao seu lado.

— Espero que esteja tão confortável quanto as circunstâncias permitem — disse Holmes, quando os preparativos finais foram feitos. — Seria muita liberdade de minha parte acender um charuto e colocá-lo entre seus lábios?

Mas qualquer amenidade era desperdiçada com o alemão furibundo.

— Suponho que se dê conta, Sr. Sherlock Holmes — ele disse —, que se o seu governo o apoia neste tratamento, ele se torna um ato de guerra.

— E quanto ao seu governo e *este* tratamento? — disse Holmes, indicando a valise.

— O senhor é um mero cidadão. Não tem nenhum mandado para me prender. Toda a ação é absolutamente ilegal e ultrajante.

— Absolutamente — disse Holmes.

— Sequestrar um súdito da Alemanha.

— E roubar seus documentos particulares.

— Bem, então entendem sua posição, o senhor e seu cúmplice. Se eu gritasse por socorro ao passarmos pela aldeia...

— Caro senhor, se fizer algo tão tolo, provavelmente enriquecerá a tão limitada nomenclatura das hospedarias de nossa aldeia, sugerindo-nos "O Prussiano Enforcado" como insígnia. Os ingleses são criaturas pacientes, mas no momento seus ânimos estão um tanto exaltados, e seria bom não colocá-los mais à prova. Não, Sr. Von Bork, o senhor irá conosco de forma silenciosa e sensata até a Scotland Yard, onde poderá convocar seu amigo, o barão Von Herling, e ver se ainda consegue ocupar o lugar que ele lhe reservou numa suíte da embaixada. Quanto a você, Watson, voltará ao seu serviço anterior, pelo que sei, então Londres não o afasta muito de sua rota. Fique aqui comigo no terraço, pois esta pode ser a última conversa tranquila que teremos na vida.

Os dois amigos passaram alguns minutos em íntima conversação, rememorando mais uma vez os dias do passado, enquanto seu prisioneiro se debatia em vão, tentando soltar as amarras que o prendiam. Quando se viraram para o carro, Holmes apontou para o mar iluminado pela lua e balançou a cabeça, pensativo.

— Está chegando um vento do oriente, Watson.

— Acho que não, Holmes. Faz muito calor.

— O bom e velho Watson! Você é o único ponto fixo numa era de mudanças. Está chegando um vento do oriente mesmo assim, um vento como jamais outro soprou sobre a Inglaterra. Ele será frio e atroz, Watson, e muitos de nós poderão fenecer sob seu açoite. Mas é um vento enviado por Deus, apesar disso, e o sol há de brilhar sobre uma terra mais limpa, melhor e mais forte, quando passar a tempestade. Dê a partida, Watson, pois está na hora de voltar. Tenho um cheque de quinhentas libras que precisa ser descontado logo, pois o emitente é bem capaz de sustá-lo, se puder.

Este livro foi publicado em 2016 pela Companhia Editora Nacional.